縦横無尽のカジュアル哲学

村上新八
Murakami Shinpachi

牧歌舎

まえがき

本巻で「カジュアル哲学」シリーズも14弾になる。

売れない部類の本であることは承知のうえで、その発行を続けているのは、ことの真理を模索したくなるテーマがたくさんあるし、そのテーマについて、自分が真理であると考えることを、まとめておきたいからである。

さらに、それだけではなく、自費出版自体は大赤字になるから、そのぶんだけは節税になることも、続ける理由のひとつである。

取り上げるテーマは、新聞記事などから見つけるのだが、まだ底はついていない感じがしている。14年にもなる連続出版だから、重複しているテーマもあるかも知れないが、いちいちチェックしていないから、そのへんはわからない。重複しているテーマがあって、論点が異なっていたら、それは考え方の変化だと思って、勘弁していただきたい。
おわりに、これまで長期にわたり、お世話になり、このほど退職された武田英太郎さんに深い感謝の意を表するとともに、新たに編集を担当してくださる竹林哲己さん、および今後も校正を続けてくださる井上良一さんにも、よろしくお願い申し上げる次第である。

2020年2月7日

村上　新八

目　次　❖　縦横無尽のカジュアル哲学

第二章　人間のアイデンティティーは奈辺に

第五章　世界の一端にも触れてみる

第一章

社会現象に覚える確執

第一節　あえて体制の論理に楯突く

恩赦はいらない

明仁天皇の退位と元号の変更にともなって、恩赦をおこなうべきかどうか、が議論されている。

恩赦とは、国家の元首あるいは国の最高権威者が、刑罰の全部あるいは一部を消滅させることである。日本の場合、憲法73条で、大赦、特赦、減刑、刑の執行免除、複権の5種が規定され、内閣がおこなうべき事務の1項目にあげられている。

恩赦の目的は、画一的な法の適用による欠点を取り除き、犯罪者に対し公正、妥当な刑罰を科すること、状況の変更などにより、刑罰の必要がなくなった場合に、それを反映させること、あるいは国家の慶事を機会に、その喜びを分かつこと、などとされている。

恩赦は政治行為であるが、行政が司法の決定を変更することであり、三権分立のルールに違背するものではないか、という議論は以前からあるという。

恩赦の目的から見ても、確定判決に対しては「再審請求」という制度があるのだから、それを使えば、このような理由による恩赦は要らない、とも思えるのである。

とはいえ、この再審請求には手間と月日がかかる。ならば、判決を見直す必要が生じる場合に備えて、判決見直しの条件など必要な立法の措置を取り、当該判決について、一律に軽減措置が取れるようにすればよいのではないか。

また、恩赦の対象には、選挙活動にともなう有罪判決、あるいは選挙資金関係の有罪判決を下された者に、集中する傾向があるという。このことから、与党の集票対策の一環として利用される、という疑惑も指摘されている。

恩赦がおこなわれたことによって、受刑者が犯した罪に対する反省が促される、などということは考えにくい。あるいは、恩赦がおこなわれることを見越して、早く刑に服して、恩赦の恩恵を受けたほうがよい、などと計算する被疑者がでてくる可能性もある。

こう考えてみると、恩赦などは全面的になくすほうがよいように思われる。

「君が代」の起立斉唱は必要か

大阪市は12年、国歌「君が代」の起立斉唱を教職員に義務づける条例を制定した。これに違反する者は、再雇用を拒否されるという厳しい規定である。ほかの自治体にはない異例の条例であった。

制定当時の橋下徹市長は、これは組織マネジメントの問題であるとして、思想、良心の自由の問題ではない、と言っている。だが、これは思想、良心の問題そのものである。思想、良心の自由を侵害し、憲法に違反するような内容を持つルールを教職員に強要するようなことは、組織マネジメントとしてもまちがいである。

かつて、平成の時代の明仁天皇主催の園遊会のおりに、ある著名人が「私の団体では、起立して国歌を斉唱するように指導しております」と申し上げたところ、明仁天皇は「強制にならなければよいと思いますが」と応じられたという。

発言者としては、そう言えば天皇はお喜びになるであろう、と考えて申し上げたのであろうが、思いがけない反応に、ぎくっとして頭を冷やされたことであろう。

明仁天皇は、この問題が世間で取り上げられていることをご存知で、そうお答えになられたのであろうが、いかにも明仁天皇らしい公正なご判断だと思う。

「君が代」とは、現天皇を示す詞（ことば）であることは政府見解となっているから、国民主権の日本国の国歌としては相応しくない、という論も成り立つと思う。

しかし、どこの国の国歌であろうと、それが斉唱されるときは、起立するのが国際的マナーとして確立されているのだから、せめて起立するくらいはやるべきであろう。歌わないで口パクだけでもいい。そのくらいのマナーは持つべきである。

これは、常識的なマナーの問題であって、懲罰をもって強制することではない。

超監視社会はご免だ

パンドラの箱とはギリシャ神話の話であるが、一度開けて、その中身の災いや不幸が飛びだしたら、手の施しようがなくなる、という厄介な代物の話である。

現代のパンドラの箱は３つある。ＩＴとゲノム、そして原子力である。

このなかで、超監視社会に関係するのはＩＴである。

共産党独裁の中国では、監視カメラの設置台数が世界一で、１億４０００万台以上あるという。人口14億人だから実に10人に1台の割で監視カメラが設置されているのである。いうまでもなく、反政府活動を警戒してのことだが、これは序の口にすぎないと思う。

アメリカでは、刑期を終えた性犯罪常習者の所在を把握するために、位置情報を発信するＧＰＳ（全地球測定システム）を脚に取りつけることが、かなり以前から実施されている。最近では、カナダやベルギーでも使われているという。

また、猫や犬などの愛玩動物が行方不明になったときに、所在を把握するためのチップを埋め込むこともおこなわれている。

日本の場合は、基本的人権が憲法で保障されているから、これを侵害するような機器の使用は許されないが、政治の動向如何では、そのような時代がこないという保障はないのである。

国民全員にチップを埋め込むことができないか、などと考える国家指導者もいないではないだろうが、それが実施される日がくるとしても、かなり先のことになるであろう。それがやれる独裁体制ができたとして、最初におこなうのは、再犯、再々犯の犯罪人にチップを埋め込むことから始まるにちがいない。一番やりやすいからである。

監視カメラくらいなら、犯罪を犯すつもりなどまったくない人にとっては、さして気にすることではない。しかし、四六時中行動を監視されるチップを埋め込むことになると、犯罪などとは無縁の人にとっても、鬱陶しいこと、このうえないことになるのだ。

このようなことは、民主主義が徹底していれば、あり得ないことであろう。その意味でも民主主義を後退させないように、よく注意しなければならない。

それには、日本国民全体の努力が必要である。

マイナンバー制度のリスク

マイナンバー制度は、プライバシー権を侵害しており違憲だ、として東京、神奈川の住民210名が国を相手取って提訴した訴訟の判決が下った。

判決は、違憲ではない、として原告の訴えを却下した。その理由をこう述べている。

「制度に具体的な危険性があるとは言えない。この制度の内容である個人情報は以前から利用されているもので、公共の利益に叶うもので、漏洩防止など不正を防止する仕組みも設けられている」

現状は、判決の述べている通りであろうが、問題は、将来どうなるかである。

マイナンバーを使って、税の徴収に利用することはすでに一部でおこなわれている。政府が、今後これを拡充し、税の徴収に関する実務をすべてマイナンバーを使っておこなうとしていることは、まちがいない。国民の懐具合は、マイナンバーを使ってすべて行政に把握されようとしているのである。

さらにマイナンバーをベースに、医療、介護をはじめ、経歴、病気、金融資産、固定資産から選挙での投票、旅行、親戚関係、友人知人関係、所属団体、趣味趣向、愛読書、購入品に至るまで、洗いざらい国家権力に把握される仕組みにまで、拡大されないという保障はないのである。

そうなると、個々人の自由や基本的人権の保障などは吹き飛んでしまう。

中国などの独裁政権国家では、すでにそれに近い形になっているといわれるが、個々人の一挙手一投足まで把握され監視され、管理されることになってしまう。独裁政権が誕生すればやりかねないのだ。

それを考えると、最初に述べた訴訟に対する判決理由はもの足りない。せめて、このような将来リスクに、ひと言触れておくべきであったと思う。

東京五輪への疑問

東京五輪開催の可否を問うアンケートでは、賛成は50％台であったと記憶しているが、開催が決まってみると、入場券の申し込みは盛況で、抽選で当たらなかった人は何十万人もでている。何回も応募してみたが、結局は1回も当たらなかった、という人はかなりいたという。

東京での五輪開催はこれで2度目だが、56年前1964年の五輪は、敗戦後20年を経て、日本が完全に復興したことを世界に知らしめる、という意味があった。だが、今度の五輪にはそんなコンセプトはない。

そこで安倍内閣は、東日本大震災の「復興五輪」だとこじつけてみた。しかし、福島県が五輪行事に絡むのは、聖火リレーを福島県からスタートさせるということだけ。メインスタジアムが福島県にあるわけでもなく、無理やりのこじつけであることは歴然としている。五輪は回を重ねるごとに、国威発揚の機会にするという政治権力者の思惑が前面にだされて、派手になり莫大なカネがかかる世界の大行事と化している。

とくに、１９８０年にサマランチがＩＯＣの会長になって以降、カネのかかる五輪の傾向が激しくなった。サマランチはＩＯＣ会長としてふんぞり返り、べらぼうに高額なテレビ中継料や広告料を取り、自分はジュネーブの五つ星ホテルのスイートルームで、贅を尽くした帝王のような生活をしていた。

サマランチなきあとも、カネのかかる五輪はますます顕著になり、このままでは、五輪開催に手を挙げる都市がなくなってしまうだろう、と懸念されているのである。

これは、近代オリンピックの生みの親である男爵クーベルタンの意志とは、まったく異なった方向にきているのだ。だからであろう。いまの五輪関係者には、クーベルタンのクの字も口にするものはいないだろう。ここまで五輪を堕落させたサマランチの責任はかぎりなく重い。

こんなオリンピックはやめて、スポーツにふさわしい簡素な形にすべきではなかろうか。

文学と記述文のちがいがわからない文科省官僚

19年8月17日の朝日新聞の「天声人語」が、文科省の新指導要領では、高校の国語で文学が選択科目になる問題を取り上げていた。この新指導要領に沿った試験問題の例題として、行政のガイドラインや駐車場の契約書が取り上げられるのだという。これに対し、文学者はいっせいに反発している。筆者も、むろん反対である。

行政のガイドラインや駐車場の契約書は、事務的な記述文であって、それ以上でも以下でもない。手続きやルールについて、わかりやすく書かれていればそれでよいのである。それに対して文学は、言うなれば、文字で書いた絵である。ひとつの風景なり事実なりを、いろいろな人物が、いろいろな角度、いろいろな色づけ、いろいろな濃淡で描くことができる。そこにそれぞれの個性が表れる。だから文学であり芸術というのである。

ところが事務的な記述文は、その通りまちがいなくやれるように書けばよい。まったく事務的な文章だから、個性なんぞは不要でむしろ邪魔になるだけである。そこに、文学なり芸術なり、つまり国語を学べる素地はまったくない。

同じ国語を使った文章でも、ここに大きなちがいがある。さらに、日本語という言葉のよさ、深み、面白みを縦横無尽に表し得るのも、文学の特徴なのだ。

それが国語を学ぶことの最大の含蓄なのだと思う。

こんなことさえ、理解しない文科省官僚の頭のなかは、どこかが狂っていると思わざるを得ないのである。

裁判所は東電旧経営者の責任を厳しく問え

19年9月19日、東京地裁で、東日本大震災の津波による東電福島第一原発の事故を巡る東電旧経営陣に対する判決があった。

津波の予測値が示されていたにもかかわらず改修を怠った、として当時の会長ら東電旧経営陣3名が、業務上過失致死傷罪で強制起訴された事件で、東日本大震災の起った11年

3月から8年半ぶりの判決であった。ちなみに、強制起訴というのは、検察審査会が起訴相当の議決をした事件を検察が不起訴にし、検察審査会が再び起訴相当の議決をした場合におこなわれる強制的な起訴をいう。

東京地裁の判決では、被告の旧経営陣3名はいずれも無罪となった。

判決理由は、当時、最大15・7メートルの津波があるとの予想値は示されてはいたが、その数値の信頼性には疑いが残り、そのための防潮堤改修の費用500億円という大きさもあって、防潮堤の改修に至らなかったのは過失とは言えない、というものであった。

この判決は、政府の電力施策方針に添ったもので、忖度判決ではないか、との批判が高まっている。

しかし、実際には示された予測値通りの高さの津波が襲ったのであるから、「いまになってはやっておくべきであったと思うか？」と問えば、「YES」と答えるであろう。

また、防潮堤の改修のほかにも、電源装置の置き場を20メートル以上高くし、原子炉の冷却能力の維持を図るという選択肢もあったのである。

この災害によって、家族、友人、家屋、職、故郷まで失った人も多く、その有形無形の損害を含めれば、その額は防潮堤改修費用の何百倍にも達するであろう。そればかりではない。東電自体の福島第一原発が使えなくなったことによる損失や、40年もかかるという廃炉処理の莫大な費用などの損失もあるのである。

東電の旧経営陣に対する責任は、厳しく問われるべきで、東京地裁の無罪判決は猛省すべきものと思う。

優生保護法の賠償算定期間の起点は

旧ドイツの優生保護法は、優秀なアーリア民族がヨーロッパを征服するために、その種を広げなければならない、としてナチスが始めたものである。

この法律によって、優秀なドイツ軍人とドイツ女性を強制的に結婚させたり、問題のある男に断種手術をするような蛮行がおこなわれていた、という話は聞いたことがあるが、民主化された戦後の日本で、それに近い「不良な子孫の出生を防止する」という考え方の下に、優生保護法が制定されていたとは驚きである。

優生保護法は１９９６年に改正されて、母体保護法となったが、旧優生保護法により不妊手術を強制されたとして、国に損害賠償を求めた訴訟の判決が仙台地裁であった。判決は「旧法の制定は憲法13条に違反し無効」とのは判決を下した。理由は、不妊手術は、子どもを作ることを望むものにとっての幸福追求の権利を一方的に奪うもので、その権利侵害は甚大である、というものであった。

この手術を受けたことを伝えたために婚約が破談になったり、離婚せざる得なくなったなどの悲劇はたくさん起きているのである。

仙台地裁が、この旧優生保護法を違憲とした判断は正当なものであるが、問題はそれに対する損害賠償の請求に対して、民法の除斥期間20年を適用して、期限切れとしてこの請求を退けた点にある。

旧優生保護法は、１９４８年から１９９６年まで施行されたものである。だから、それが施行されている期間は、損害賠償請求などできなかったのである。

したがって、これによる損害賠償期間算定の起点は、この法律が違憲と判定された時点とするのが妥当であると思う。

この仙台地裁の判断が誤りであることを、控訴審が認めることを期待したい。

第二節　社会の風潮への異議あり

違和感は人それぞれだ

違和感とは、何かについて自分は同意できない、という感じを持つことであろう。それは、個人の自由である。

作家の村田沙耶香が日経新聞のコラムに「違和感から目覚める自分」と題して、次のような文を載せていた。

「見た目に気を遣い、料理上手で、というような男性社会が作り上げた女性像が知らず知らずのうちに女性を抑圧してきた。自分はこれに違和感を覚える。その心のそこの違和感に目覚めるとき、人は主体的に生き始めることができるのだ」

料理も下手、家事は面倒くさいという女性もいる。それを認めても結婚したいという男性もいる。それはそれでよいと思うし、家事が嫌いだから、結婚はしないで自分ひとりで生きられる術を身につけて、生涯、主体的な独身を通すこともよいと思う。

専業主婦なら料理上手で、家計のやりくり上手のほうがよいに決まっている。それは、夫婦の仕事の分担と協力関係で決まることである。

また、女性のなかには、自分の肉体の美しさや性的魅力をさらけだして、異性の目を引きつけ、悦に入っている人も少なくない。短いスカートを穿き、お尻の線がそのままでるピチピチのパンツを好んで穿いているのも、その現れであろう。それは、世のなかをより色彩豊かにする、という公益的効果はあると思う。

そういう好みに違和感を持つ女性が多ければ、それが流行することもないであろうが、「あら！　いいわね」と感じて真似する女性が多いから、世の風潮になるのであろう。

こういう風潮を男性社会が作り上げた女性像による抑圧と言うのであろうが、これは男性社会が強制したものではなく、女性の個人的な好みと価値観による選択の結果なのである。

女性としての目覚めもいろいろである。いろいろであってよいと思う。公序良俗に違背するものでなければ、幅広くいろいろな個性的演出を認めるような寛容性に、目覚めるべきではないか。

違和感にかぎらず、自分の好みを他人に押しつけないほうがよい。

言論表現の自由にもルールはある

19年8月、愛知国際芸術祭の企画展「表現の不自由展・その後」が中止された。実行委員長の愛知県知事・大村秀章と委員長代行の名古屋市長・河村たかしが、憲法21条の表現の自由を巡って対立した結果でもある。

この展覧会には、韓国が戦時中の慰安婦問題への抗議を示すために、公共の場に設置している「少女の像」が出品されていた。そのことに対して、3日間で341件もの抗議の電話やファックスが届いたためである。なかには、「ガソリンをまくぞ」の脅迫状もあったため、安全上の見地から中止になったという。

「少女の像」の展示に、日本国民が怒るのは当たり前である。1965年に日韓の基本条約をはじめ経済協力協定など多くの合意が署名され、すでに不可逆的に解決されている問題である。少女像は、それを韓国人の執拗な国民性から、蒸し返している国際法違反の抗議を現わしているからである。

この少女像の展示が、大村秀章が主張するように表現の自由の問題、というのはおおいに疑問がある。

というのは、この少女像は、日韓の国家間で政治問題化しているからである。にもかかわらず、韓国側の主張を体現している少女像を展示することは、日本国民が韓国の言いぶんに納得しているかのような感じを与えかねない。その意味で政治問題になっているようなものは、その展示は避けるというのが妥当であると考える。

これは、表現の自由云々というような問題ではなく、何ごとにも節度とルールがある、ということである。

何ごとぞ新元号めぐる大騒ぎ

明仁天皇の退位で、元号が平成から令和に変わった19年の4月末から5月はじめにかけて、日本中が大騒ぎとなった。

神社に詣でて令和のスタンプを押したお札を買ったり、令和と刷り込んだTシャツを着たり、平成と令和の額を持って写真を撮ったり、まるで狂騒的とでもいうような騒ぎが沸き起こった。マスコミがそれに輪をかけて騒ぎを拡大した。

それにつけ込んだ悪質犯罪も多数発生した。たとえば、オレオレ詐欺などの特殊詐欺犯は、元号の変更にかこつけて、キャッシュカードが変わりますとか、紙幣が使えなくなりますとか、新手の詐欺の手口を使い、またまた老人を騙してカネを詐取した。

さらに、この新しい元号については、内閣府が極秘任務として30年間も汗をかいた、と日経新聞が報じていた。やらねばならないことが山ほどあるのに、こんなことに熱を上げねばならない理由も、それを極秘扱いにして、漏れないように大げさに仰々しく扱ったこともまったく理解できない。

元号が変わっただけなのに、なんでそんなに大騒ぎするのだろうか。大騒ぎする手合いは、軽率なおっちょこちょいとしか思えない。ただ、元号が変わるだけで、世のなかはなにも変わりはしないのだ。革命とか大統領が変わったのなら、即、世のなかが変わる可能性はあるが、天皇退位だけではしばらくは何も変わらないのだ。

こう書くと、へそ曲がりと思われるかも知れないが、筆者は、とくに頭をひねらなくてわかるはずの、当たり前のことを言っているだけである。

モラハラにはきっちり対抗する

「モラハラ」は、モラルハラスメントの略である。

ハラスメントとは、相手を不快にしたり、相手の尊厳を傷つけたり、脅威を与えたりして、嫌がらせをしたり、いじめたりすることである。

ハラスメントには、セクハラ、パワハラ、ドクハラなどがあるが、モラハラは物理的な暴力は使わないが、言動や態度で嫌がらせやいじめをおこない、精神的に虐待をすることを指して言う。自己中心で、理不尽、独りよがりの自分勝手な考えを、話し合うこともなく他者におしつける、他者の考え方は一切受けつけず、自分の非を認めようとはしない。こんな人間が、身近な人に対しておこなう場合が多い。

モラハラは、言動、態度であるから、どのようなハラスメントにも適用できるが、一般には、家庭内の夫婦間で、夫側が妻に対しておこなうハラスメントとして扱われる。夫が妻に対して、不条理なことを言ったり、一方的な判断で非難したり、なじったり、叱ったりするなどの行為を言う。

妻がおとなしい女性である場合は、これに反抗できず、相手を怒らせまいとして不承不承我慢して黙ってしまう、あるいは自分を責める。そして、うつ状態になることも少なくないことになる。こういうことが続いて、いつもピリピリしている状態が続けば、あげくのはてはノイローゼにもなるのである。

対して夫側は、一切の反省もないままに、精神的な重圧をかけ続ける。妻が別れようとすると謝ったりするが、直すことはない。こういう男は、家庭を持ち、家庭を安穏に維持してゆくことができない男なのだ。明治生まれまでは多かったが、戦後、男女同権になってからは、まれになっているはずだが、まだ残存しているようである。

もうひとつ言えることは、こういう男は、職場ではパワハラに遭っている場合が多いのではないか。その鬱憤を家に帰って、おとなしい妻にぶつけているのでないか。少なくとも、職場で楽しく仕事をしていることはないであろう。

勝ち気で負けん気の強い女性なら、家をでるとか離婚するとかになるであろうが、子どもがいたり、自分ひとりでは生活のめどが立たない女性は、重圧にさらされたままますごすということにならざるを得ないのである。まことに気の毒である。

こういうモラハラ男とは、さっさと離婚するにかぎると思う。きちんと財産を分与してもらい、子どもについてもきちんと養育費を受け取れるように、法的な手続きをしっかりとやったうえで。せっかくの人生を、こんな男に虐げられて無駄にする必要はない。また、そのための公的な支援体制を整備することも必要であろう。

これも、男女共同社会を成熟させる一環である。

スマホに潜む「ゲーム依存症」

「ゲーム依存症」という言葉がある。

スマホのゲームに夢中になって、仕事や勉強に支障をきたしている人間が、増えている問題を指している。「スマホ障害」ともいえる。

日本のスマホ普及率は、国民ひとりあたり0・5台を超えるらしい。たしかに、電車で座席に座っている人の6割以上は、スマホをのぞいて操作している。

筆者はスマホを持たないので、いったい何を見ているのかわからない。確かめたいと思って聞いてみるのだが、人によって、メールだとかニュースだとか、答えはまちまちで、いまひとつ納得できかねる結果であった。その程度のことに、そんなに時間をかけているとは思われないからである。

しかし、ゲームだと言われれば納得がゆく。ゲームは面白いし、時間がかかるものであろう。達成度で得点でもでるような仕組みなら、より多くの得点を目指して、何度でも挑戦することにもなるであろうからである。

自民党政府は、カジノ設置に熱心で、収賄容疑で逮捕される国会議員までいたが、ギャンブル依存症対策は十分には論議されていない。

カジノの場合は、「ギャンブル依存症」とはいうが「カジノ障害」という言葉は使われない。カジノでのギャンブル依存の結果、勉強や仕事が留守になったり、自殺したり、家庭が崩壊したりするのがカジノ障害である。これが恐ろしいのである。

この障害は、ギャンブル依存症だから、脳の働きの病変であり、これを治すのは容易なことではない。障害の発生は結果であり、その直接原因はギャンブル依存症なのである。依存症になる原因は、そういう場とかギャンブルの機器があるからである。

だから、カジノなんかは作らないほうが健全であることは言うまでもない。これは簡単な理屈である。

しかし、スマホとなると、その用途は多様だから簡単にやめるわけにはゆかない。人手不足に備えて、日常の買い物の支払いの機能を持たせようとの動きもあるし、今後ますます促進されるであろう。そうなると、スマホの機能はますます必要なものになることは必至である。

だから、スマホを全廃することはできない相談だろうが、ゲーム依存症などマイナス機能をなくすための措置は必要であろう。

そのためには、ゲーム機能を乗せることを法律で禁止する以外にはないと思う。スマホからゲーム機能をなくしても、それならスマホをやめる、スマホは必要ない、ということにはならないはずである。

忘年会は嫌いだ

毎年12月になると、忘年会をやろうという声が上がってくる。幹事になると会場取りに奔走することになる。これは日本だけのことなのかどうかは知らないが、どうも忘年会という名称が気に入らない。

「嫌なことが多かったが、そんなことは忘れてご破算にするために、一杯飲んで騒ごう」というような、やけっぱちのように聞こえるからである。

筆者が30年前に、経営コンサルタントのグループを率いていたころも、忘年会はやらなかった。その代わり、新年会は盛大にやった。「今年もやるぞ！」という気合を入れるためであった。

毎年いろいろなことが起こる。失敗やミスがあって、そこから教訓を学ぶのは、それが起った直後でなければならない。失敗やミスがまだ生々しく新鮮なうちにやらないと、問題点がぼけてしまうかも知れないし、ときが経つと感度も悪くなるはずだからである。

それらの反省を、年末にまとめてやろうなどとは、だれも考えないはずである。

だから、忘年会というものは「今年もお疲れさまでした」という意味で、年の暮れにやる「打ち上げ宴」であると思えば、それもよかろう、ということに落ち着くのである。

そのような名称に変えるべきだと思う。

川崎スクールバス児童殺傷犯の犯行は防げた

19年5月、川崎市で起ったスクールバス待ちの学童の列を、刃渡り30センチの刃物2本を振りかざして襲撃し、多数を死傷させて自殺した容疑者岩崎隆一の事件は、防ぎようがなかった事件と思われている。

しかし、この岩崎のふだんの生活態度をよく観察していれば、この事件は事前に予防できたと思われる。

岩崎の両親は、岩崎が幼いころに離婚し、ために彼は伯父夫婦に育てられ、ずっと同じ家で同居していた。だが、同居とはいっても同居別居のようなもので、伯父夫婦は1階に住み彼は2階に住んで、互いに接触はなく、食事も彼のぶんは冷蔵庫に入れられたものを勝手にだして食べていたという。この10年の間、会話もなく連絡は紙に書いておくというまことに奇妙な同居生活であった。

岩崎は51歳、仕事をすることもなく、伯父から小遣いをもらって、部屋で独り、ゲームなどにふけっていた。中年のひき籠もりであった。

伯父夫婦も80代と高齢で、家事手伝いのために介護の人を家に入れることになり、そのことで岩崎ともめないか、と川崎市に20回も相談を持ちかけていた。ところが、市は岩崎が精神異常的であることを知りながら、刺激しないように、と会うことさえも避けていたという。

伯父夫婦には、岩崎と同年配の子どもが2人おり、この2人は名門の私立学園に通わせながら、岩崎は公立の学校に通わせられたという。だから、そのころから何かと差別はあったと思われる。

職にも就かない岩崎は、伯父夫婦も80歳を超え、自分の将来への不安や自己嫌悪、そして差別への恨みなどから自殺、それも多勢を道連れにしての自殺を考えていたのではないか。このことは、彼の自室から、集団殺人を描いている雑誌が2冊見つかったことからも、推定できるのである。

とすれば、市が彼を厄介者扱いにして避けるだけでなく、精神鑑定をおこなったりの対策をしっかりやって、隔離入院でもさせておけば、この事件は未然に防げたはずである。

やたらに人を拘束して隔離することは、けっして誉めるべきことではないが。

獣にも劣るレイプ犯は重罪に

レイプ犯を「獣にも劣る」としたのは、たんなる形容ではなく、生物として獣にも劣るという意味である。

近時、性暴力に対する告発が盛んになってきた。よいことである。

レイプする奴に対して、抵抗力の弱い被害者は「この獣！」と罵ったりするが、人間以外の動物で強制的に性交渉をする動物はいない。

雄熊は、子熊を育てている雌熊は交尾に応じないので、その子熊を殺してしまう場合があるが、それは雌熊を直接レイプをすることとはちがう。雌熊を交尾する気にさせるための行為である。鳥類でも交尾期になると、雄が鳴き声を上げて雌を呼ぶとか、踊りらしき動きで雌の気を惹く、巣を作って雌を誘おうとするなどの行為をおこなうが、強制的に交尾をすることはない。

強制的に性交をするのは人間だけである。つまりレイプ犯は人間だけなのである。生物としての獣に劣る、というのはこのことを指している。

理性を持っているのは人間だけなのに、と言ってみても始まらない。レイプは理性を捨てた心的殺人行為だからである。

一般に、理性を捨てた行為が犯罪であるが、犯罪のなかには、その被害者が心身を傷つけられ、一生涯打撃を受け続ける犯罪もある。レイプはその筆頭であると思う。その意味で、刑罰をもっと重くすることも必要であろう。

また、このレイプという犯罪は反復性が強く、同一犯が犯行を繰り返すおそれがあるし、被害者が自分の人生に不利になることを恐れて、告発せずに隠してしまうことも少なくない。実際に告発するのは20％以下だという。それも、犯人にこの犯罪を繰り返させる要因になっているのである。

しかし、被害者のだれかが勇気をだして告発すれば、われもわれもとそれに続くことにもなる。最近の「#ＭｅＴｏｏ」運動は、それを示しているのである。

一方では、被害者の匿名性を高めるなど、被害者が告発しやすいようにすることも必要であろう。

レイプ犯罪をより重刑化するとともに、早急に対応すべきであると思う。

第三節　ＡＩは幸せをもたらすか

ＡＩが信じられなくなる事例

万物の霊長である人間にも、先のことはわからない。同時に、わからないから知りたくなるのである。

手相を見てもらったり、占いをしてもらったりする人は少なくないが、それは、わからない先のことを知りたいという心理によるものである。占いや手相が信頼できるものではない、と知りつつも、見てもらおうとするのが人間の心理である。

将来を予想する「予測」というものがあるが、これは占いではなく科学的な技法である。その信頼度は１００％とはならないが、かなり精度は高くなっている。それらの予測の基本となるものが、確率論の法則のひとつで、「大数（たいすう）」と呼ばれる大量の実績データと、これを処理するＩＴ、さらにはＡＩである。

予測もいろいろあるが、そのなかでも、もっとも悲惨なのは政治的予測に基づく戦争である。アメリカによるベトナム戦争、アフガニスタン戦争、イラク戦争がこの政治的判断ミスによる悲惨な戦争の例である。

ベトナム戦争は、ベトコンなど共産軍勢力が南侵し、インドネシア半島や東南アジア諸国がドミノ式に共産化されるという予測で、米軍が介入して敗北を喫した。これは予測ミスによる戦争であった。

アフガニスタン戦争は、山岳戦に強くソ連軍でも手を焼いて撤退せざるを得なかったタリバン軍を制圧し、アフガニスタンを民主化できる、と予測した米軍による長年の介入が失敗に終わった例である。

イラク戦争は、当時の独裁政権だったサダム・フセインが、大量の破壊兵器を所持しているとの誤った予測から引き起こされ、だらだらと長引かせながら、結局は失敗した無益な戦争であった。

これらは、いずれもアメリカの不安神経症的な政治的予測ミスによる大損害であったと言えよう。

ところで、最近の天気予報は当たらない日が、一時よりかなり増えている感じがする。いちいち記録しているわけではないから、正確なところはわからないが、感覚的な感じとしてはそうである。

おそらくはＡＩなどを駆使して、過去の大数データから予測しているのであろう。だが、このところ、世界の気象が温暖化の影響で大きく変わってきているため、過去のデータだけに頼る予測が通用しにくくなってきていて、そのためではないかと思うのである。

これでは、大数によるＡＩもお手上げである。

ＡＩの人間性破壊的な活用はやめてくれ

「恋し結ばれる相手は」という見出しで、19年8月30日の朝日新聞朝刊に掲載された記事がある。

その冒頭には、「ＶＲ的な仮想視実やＡＩの技術が進んだ近未来、人はデジタルと恋をする」と記され、さらにこう続く。

「アプリで紹介された相性のよさそうな人とメッセージを始めると、ＡＩが分析、会話を続けるためのアドバイスをして、デートタイミング、相手が好感度を高めるやり方をそれぞれに教えるが、相手にはその内容はわからない」

ＡＩが、恋愛がうまくゆくように指南してくれるようになる、というのである。仮に、こういうことがやれるとしたら、それは本来の２人の相性の有無を歪めることになる。

さらに驚いたことには、「セックスでもＶＲ用のベッドセットで、映像を見て触覚などの感覚をシリコンで造られた成型で満たせば、人間の行為と同様の満足度が得られる」とまで記されている。これを性転換の許容として、最近よく言われているＬＧＢＴにつけ加えて「Ｄ」と名づけるのだそうである。

さらにこういう記述もある。「そもそも恋愛において人間が求めているものは、性愛も含めて陶酔感や精神の安定にすぎない。それには人間同士である必要はない」と。

ＡＩを使えばこのようなことも可能であろうが、これでは、人間性などはまったくなくなってしまう。人間どうしだから、人間としての異性に惹かれ恋もするのである。

こんなバカげた話はまったく受け入れられない。ペットに対する愛にしても相手が生き物だからこそ成立するのだ。性具による代替満足はあっても、それはあくまで代用品であるにすぎない。

人間だから、失恋もあり、喧嘩をすることも誤解もある。そのようなことが人間性であり、人間らしさである。

その意味で、こうした人間性を破壊するようなＡＩの使い方には、絶対に反対である。ＡＩを人間関係に使うとしても、もっとうまい使い方があるはずである。

たとえば、高齢化社会で独り暮しが増える。連れ合いも友人も兄弟も死んでしまい、話相手がひとりもいない、という人も増えてくるはずである。そこで、その人たちのために話相手になるＡＩがあってもよいし、それはおおいに世のためになる。

ＡＩの活用は、人間らしさを破壊する奇妙奇天烈なものではなく、このような方向で進めてもらいたいものである。

「予測は希望」のためにＡＩを

「予測」というのは、たんなる憶測をいうのではない。

正確に述べようとすると少し難解になる。予測の対象に応じた、その決定要因、その相互関連、対象に与える影響度を、実績値をもとにして、統計学、解析学を用いて数学的に解明する、ということになる。このように、科学的な手法を用いてやるのが予測である。

このような科学的な予測をより精緻化するために、近年ではＡＩが期待されているのである。

こうした科学的な予測結果は、予測する側にとって、好ましい方向にも好ましくない方向にもでるであろう。

世のなかには「希望的観測」というものがある。これは予測する側がはじめから期待する予測結果を決めておいて、それに近い結果がでるように、データを調整してしまうからで、これは予測とはいえない。

予測はあくまで、公正にやらなければならない。

前述のように、予測結果が好ましくない方向にでることもあるが、それで悲観することはない。このままでゆけば、好ましくない結果になりますよ、という警告とみればよいのである。そこで、好ましくない結果にならないような対策を考えることになる。

それは、希望的観測をだして何も手を打たず、悪い結果に泣かされるよりは、はるかに利口である。

その対象が台風や地震、津波のような、どうにも打つ手がない自然災害の場合であれば、人命を守るための早めの避難、ということになるかも知れない。あるいは財産を安全なところに移動させておくとか、農作物や果実を早めに収穫することかも知れない。人間の力でやれることをやって、被害を最小にすることはできるのである。

また、インフルエンザや伝染病であれば、早めの予測でワクチンの開発や増産を急ぎ、接種を徹底させることによって、罹患者を最小にすることは、できるはずである。

「予測は希望である」という説があるが、それは正確な予測で、被害を最小に抑えられるという希望に繋がるし、繋げられるようにしなければならない、という意味であろう。そう理解すれば、うなずける説である。

「予測は希望である」ことのためにこそ、ＡＩを存分に活用してほしいものである。

第四節　老後をめぐる選択と課題

延命治療に望むこと

人生100年時代といわれているが、いまどきそれを喜ぶ人は、そう多くはない。女性の場合は、そんなに長生きしてしわくちゃになるのは嫌だ、と言う人が多いが、男性でも、老いさらばえた姿になるのは嫌だと思う人は多い。

その理由は、第一に、年金だけでは生活できないから、貯金を取り崩して補っているが、それも底がついてしまうからである。第二に、家族に迷惑をかけたくない、という気持ちが強いからでもある。

新聞のアンケートを見ると、延命治療には注文をつけたいという回答が61％あり、その注文というのは、胃ろうや人工呼吸器はつけないでほしい、というのが多い。

たしかに、いろいろな機器につながれて、パイプで縛りあげられたような格好でベッドに横たえられた姿は、想像するに嫌である。

延命治療というのは、病気回復の見込みはないが、ぎりぎりまで生かしておくための措置である。だから、口で食べることができない場合には、胃ろうということになるのであろう。自然呼吸がむずかしければ、人工呼吸器に頼ることになるのであろう。

なかには、介助すれば口から食べられる場合でも、人手が足りないから胃ろうにしてしまう、という場合もあるようである。老人病院などでは多く見られる。

回復の見込みはない、余命は3カ月と医師に言われたが、5年以上も生き長らえたという例もあるから、患者の生きようとする意思、意欲、対応次第では、寿命が伸びることも確かである。

人生は一度きりだから、生きられるだけ生きて、世の移り変わりを見ておこうと思う人もいよう。その場合は、延命治療であっても、通常の生活ができるならば、受けてもよい、というくらいが妥当な判断になるのではなかろうか。

あくまで、本人の意思で決めるべきことである。

成年後見人選びのむずかしさ

前項でも書いたが、長寿がめでたい時代ではなくなった。

長寿が待ち受けているのは、病苦を除いたとしても、カネがなければ貧困、カネがあれば財産管理の問題である。

高齢となって、脳の働きも身体の動きも鈍くなると、財産管理がむずかしくなってくる。それに乗じて、オレオレ詐欺など特殊詐欺につけ込まれることにもなる。

オレオレ詐欺なるものが始まってから、半世紀以上になるが、いまだにその件数も被害額も記録を更新し続けている有様である。年間1万6000件、被害金額は300億円にものぼる。

特殊詐欺は防げたとして、高齢者が困るのは、身体が動けなくなったときに、生活費や入院費を銀行預金から降ろすのをだれにやってもらうか、という問題である。

本人が行けないのだから、その都度、委任状を書いてだれかに頼むか、成年後見人を選任しておいて、やってもらうしかない。

ところが、成年後見人となると、本人の一切の財産の管理を任せることになるので、それを勝手に処分したり、横領するという事件が少なくない。弁護士やそれに準ずる公的資格を持っていても、そういう事件を起こすし、あるいはただ通帳を管理しているだけで、毎月多額の費用を取られる場合も多いという。

そこまでいかなくても、親族以外の場合は、被後見人の意志尊重や生活支援などの視点に乏しい、といわれる。

そこで最高裁は、「成年後見人は親族から選ぶのがよい」という指示を、地方裁判所にだしたという。成年後見人は家庭裁判所が選任するからだが、弁護士など公的資格を持った人物による不正が、あとを断たないことの反映でもあろう。

しかしながら、ならば親族なら安心かといえば、全面的に安心だと答えられる人は、少ないのではないか。親族の場合は、人さまのおカネ、という緊張感がない。身内のカネだからとか、どうせ自分のものになるのだから、という気持ちで、いとも気軽に、被後見人の資金を勝手に流用することも起こり得るのである。

実の息子、娘であれば、そうなってもよいと割り切ればそれでもよかろうが、子のない場合はそれもない。

この問題は、当事者にとっては、頭の痛い問題である。

ロスジェネの救済

ロスジェネとは、ロスト・ジェネレーションの略である。訳せば「失われた世代」ということになる。

本来は、第一次大戦のあとにアメリカに登場したヘミングウェーなどの作家群を指すが、ここで述べるのは、アメリカの話ではなく、日本の目の前に起っている話である。

ロスジェネ世代のひき籠もりは深刻

20世紀の終わりから21世紀の初めのころまで、日本は不況にあえいでおり、そのため学校を卒業しても就職できない若者たちが多数となった。

就職氷河期といわれ、正規の就職ができないまま、派遣や有期雇用、アルバイトなどの非正規雇用を余儀なくされ、低賃金のまま日々の生活にあえいでいたのである。

その後、景気が持ち直してきても、この人たちの不安定雇用は、そのまま継続されたままになっているのである。「ロスト」というのは、このことを指している。

この就職氷河期にぶち当たった人たちは、現在、38歳から48歳で働き盛りだが、出発点が非正規雇用だったため、当然ながらそれに相応しい地位や報酬は得られていない。

いま社会問題化している「ひき籠もり」もこの就職氷河期との関連が深い。ろくな仕事にもつけず、社会参加もできず、結婚もできず、孤立し、ひき籠もりになったのである。

現在、40歳から64歳の中高年のひき籠もりが全国で61万人もいるという。こういう人たちが、まさにロスジェネである。

ロスジェネがこのままで推移すれば、将来大量の高齢貧困層を生みだすことになり、生活保護の対象となる。この61万人は、いまは親のスネかじりでなんとか食べてはゆけるが、10年先、20年先を考えると、親が亡くなって、収入の道が閉ざされる。生活保護に頼らざるを得なくなる。「40－70問題」とか「50－80問題」とか言われるのがこれである。

この人たちが生活保護を受けるとなると、新たに18～19兆円が必要ともいわれる。

この問題を取り上げた映画がある。『ＰＬＡＮ75』である。この映画のなかでは「あなたの決断を全力でサポートします」「痛みや苦しみはまったくありません」と安楽死を奨めているという。

筆者は別項で、人はだれでも、その人に生きていてほしいと思う人がひとりでもいるかぎり、生き続ける義務がある、と述べたが、このロスト・ジェネレーションの人たちは単身だから、親が亡くなれば、生きていてほしいと思ってくれる人は、ひとりもいなくなるかも知れない。

ならば、安楽死もＯＫなのか。

あまりにも寂しすぎるストーリーではないか。これはロスジェネ・エレジーである。

企業の責任でやるべきこと

世のなかはＡＩの時代に突入している。このＡＩと組み合わせて、特技を持たない高齢者にもやれる仕事の形を、いまから考えても早すぎることはないと思う。ロスジェネ・エレジーを少しでも解消するために。

ロスジェネの問題を考える観点は二つある。

そのひとつは、ロスジェネ層にやる気をださせてモチベートし、持てる能力を最大限に発揮してもらうことである。そのためには、非正規雇用から正規雇用になる道を作り、その成果と能力に応じて正規雇用化を促進することである。

この点では、非正規を安易に低賃金で雇い、そのぶんの人件費を社内留保として積み上げている企業、とりわけ大企業がやらなければならない義務と責任はきわめて重い、と言わなければならない。

いまひとつは、この層を単純に人手不足の穴埋めにすることを、やめさせなければならない。

この人たちは、人手不足の穴埋めにするには、もったいない力を持っているはずだ。人手不足は、発展途上国からの移民などでカバーし、彼らを指導したり、彼らをより有効に使うための仕事を担当してもらうべきである。この点も、いうまでもなく、企業が率先してやるべきである。

ロスジェネ層を生みだした企業が責任を持って、働き甲斐と生き甲斐を感じさせるようにすべきであると考える。

人生をやり直したいと思うか

朝日新聞の19年5月18日be版に、表題のアンケート結果が載っていた。

それによると、「やり直したいと思う」が67％で3分の2を占めている。「思わない」が33％だから、やり直したい、と思う人の比率は驚くべき高率である。

やり直したいと思う理由は、さまざまであった。

だが、筆者はやり直したいとは思わない。

別項で、運命とは、偶然と選択の結合であると述べている。人生はその塊のようなもので、それがどうであろうと、どーんと受けて、がむしゃらに自分にとってよい方向に突き進むしかないと思う。やり直してみても、それが満足する結果になるとはかぎらないし、それによる周囲の被害も考えねばなるまい。

学生時代までの筆者のキャリアは、他人からみれば奇異な面もあると思うが、その場、その場で全力投球してきた。

その後は、経営コンサルタントという、自分の性格にも向いている大好きな職業（これはあとから思ったことだが）に恵まれた。大学時代以降、セミナーの指導教授や経営コンサルティングファームの役員にも認められて、目をかけられたという幸運もあって、75歳まで仕事ができたし、その後も、毎年1冊ずつ本を書きそれを出版するという、暇つぶしの仕事もやれている。

来年3月には満90歳を迎える。健康とはいえず、病気も数種類持ってはいるが、余病をださず悪さをしなければ、それらの病気との共存をはかりながら、このままの生活が続けられそうだ、という気持ちでいる。

これが、人生をやり直そうとは思わない筆者の理由であるが、それは運命と真正面からがっちり取り組んで、よい方向に向けようとして、がむしゃらに努力したからであると思っている。

第五節　だからこそ知を深める

ロスリング著『FACTFULNESS』論考

アメリカのハンス・ロスリングという医師が著した『FACTFULNESS（ファクトフルネス）』という著書に、教育、貧困、人口、死亡者、子どもの病気、公衆衛生などに関する13問の設問をした箇所がある。

10種の「誤りの本能」に分類

これらの設問についての世界の知識人の正解率は、13問中2問だったという。その事実を切り口として、事実認識の錯誤がいかに多いかを指摘し、それを10の「誤りの本能」に分類して、事実の正確な認識への注意点を説いた本である。これについて、論考を加えてみよう。

1　分断本能

まず、なんでも二分してしまう分断意識がやり玉にあげられる。

その原因について、従来の知識による思い込みとドラマチックな話が好き、などによるもので、それは分断意識の本能によるものである述べられている。しかし、それは本能というより、意見がちがうのだから、自然のことなのだと思う。

ユニセフや国境なき医師団など貧困救済団体の広告宣伝を見ると、悲惨な子どもたちの話ばかり示されるから、そんなにひどいのか、という印象がこびりついていて、設問に対する答えも、自ずからひどい状態を選ぶことになる。だが、実際はそんなにひどい状態からは脱していたので、それは正しくなかったのである。そう思わせないのは、宣伝がオーバーだったからである。

寄付金で運営されている貧困救済団体としては、ひどい状態であることを宣伝すれば、それだけ寄付が増えることになるから、そうするのであろうが、だまされていたということである。

ロスリングによると、世界の所得層をレベル1からレベル4までの4層に分けてみると、レベル１（１日１ドル）が10億人、レベル２（１日４ドル）が30億人、レベル３（１日16ドル）が20億人、レベル４（１日32ドル）が10億人であるという。

統計値は、このように分布しているので、平均値は扱いやすいが、平均値で判断するとまちがいやすいというのである。

彼は言う。「実際には分断がないのに、分断があると思い込むのだ。ちがいがないのにちがいがあると思い込んだり、対立がないのに対立があると思い込んでしまう。どれも分断本能の仕業である」と。

分断本能とロスリングは言うが、それはオーバーである。統計値は正規分布している場合が多いのは事実である。つまり、グラフに書いてみると、一番頻度が高い中央値を中心として左右になだからな傾斜を描く分布である。これは分断とは言えない。

分断の顕著な例は、与党と野党の支持層、たとえばアメリカのトランプの支持層44％と非支持層56％であろう。これは完全に分断している。

人間がものごとを分断して考えがちなことを分断本能というのなら、分断本能はないと思う。

2　ネガティブ本能

ロスリングは、「ネガティブ本能」という概念に言及している。

これは、「世界がどんどん悪くなっている」「人はものごとのポジティブな面よりもネガティブな面に注目しがちである」と思う傾向がある、という指摘である。

それはたしかにある。だが、その原因は、人間はリスクを心配する必要がないことには関心は持たないが、心配な面については強い関心を示す、ということで説明できる。だから、マスコミも後者の報道に力を入れるし、それが印象づけられることになる。

人間は、リスクに対してはその情報を早くキャッチし、それを回避するための準備をしたり、身構えたりしなければならない。しかし、リスクのないものに対しては、そんなことは必要ないから、注目もしないわけである。それだけのちがいにすぎない。

こう考えれば、ネガティブな面とポジティブな面とに対する姿勢のちがいは、当然であると思う。それがあるから、人類は生きながらえることができたのであろうし、それは人間の自己保全の本能である、といってもよいであろう。

3　直線本能

確率論で「大数処理(たいすう)」をする場合、縦横の二次元グラフによって、その傾向や法則性をみたり、その要因をつかんで数式化したりする。

この場合、データの回帰線が直線になることもある。たとえば、所得と子どもの大学進学率との関係とか、所得と平均寿命の関係などである。しかし、このような直線になる回帰線の例は少ない。たとえば、人口と所得の相関は、ある程度までは正相関するが、あるレベルからは横ばいになってくる。これは子どもの死亡率が下がるためだと言われるが、それはひとつの要因である。現実には直線になるのは例外である。

しかし、世間ではデータが右肩上がりなら、そのまま右肩上がりが続くとみる、すなわち、直線的な見方をする場合が少なくないというのだ。

これをロスリングは、直線本能と名づけているのであるが、現実にはS字カーブやこぶ型などいろいろなのである。これについては、本能というほどのことはないと思う。

4　恐怖本能

災害予知、情報伝達システムの進歩によって、災害で亡くなる人の数は大幅に減少した。

だが、一度に何百人もが死亡するような事故のニュースは、大衆の耳目を惹くような形で報道されるから、強く印象づけられる。

たとえば、航空機の事故は大幅に減っている。これは1964年のシドニー条約で、すべての航空機事故の原因を徹底的に調査解明し、全航空会社がこれに学ぶことを義務づけたためだという。16年には、年間4000万機の旅客機が飛行しているが、死亡事故が起こったのは10件で全体の0・0000025%にすぎない。

マスコミは、頻度的に少ない事故やテロ、「ヒアリ」など、大衆が「え！」と耳目をそばだてる報道には力を入れ大々的にやる傾向がある。これらは、もちろん危険ではあるが、発生率からみて、大衆が恐怖を感じなければならないほどのことではない。

恐怖と危険は意味がちがう。この両者を切り分けて、恐怖はさておいても、現在の危険なことに注意を払うことが大切である、と説いている。この説には賛成であるが、それは恐怖本能というようなものに起因するのではなく、大衆が驚ろかされやすいからである。マスコミの驚ろかせ情報に踊らされる大衆の判断力、評価力の弱さである。

その危険は一般的な注意でよいのか、それとも恐怖に感じて対応すべきものか、を区分しなければならないであろう。

5　過大視本能

単一の数値だけを見て、その大きさに驚いて判断するのはリスキーである、ということを強調して、ロスリングは「過大視本能」を警告する。

たとえば、二酸化炭素の排出量は中国が一番大きいが、これだけの数値を見て判断してはならない。中国は人口が13億人と世界最大であるから、人口当たりの排出量とか、前年比、経年傾向、ＧＤＰ当たり、石炭火力発電依存率などの数値も見なければ真の姿はわからない、ということである。

過大視本能とは、単一の数値の大きさに驚いて、判断する過ちを言うのであろうが、実務的には、そのようなケースはほとんどないであろう。

6　パターン本能

ある事例のパターンを信じ込んで、ほかのケースについても、そのパターンにはめ込んで判断するという過ちを指している。

乳児の仰向け寝の例がある。

乳児を仰向けに寝かせると、ミルクなどを吐いたとき、喉に詰まらせて窒息するリスクがある、とされていた時期があった。これは戦場で負傷した兵士を仰向けに寝かせたところ、吐瀉物で窒息した例があり、これに由来するものであった。だが、乳児の場合は頭を動かす筋肉の力が弱いことが原因で、ミルクを吐いたような場合、仰向け寝のほうが窒息のリスクが大きいことがわかり、のちにその由来は訂正されたのである。

このように、ワンパターンを、その理由もよく考えずに盲目的に信じ込むと、過ちを起こす場合があるのだ。

7　宿命本能

人間や国家や文明に関するすべては、予め決まっている定めに左右される、という思い込みである、とロスリングは定義する。これを「宿命本能」と名づける。

人間は、自分が生まれてくる親も国も選ぶことはできない。

めぼしい資源もない小さな島国の日本に生まれたのは、宿命である。これは、けっして恵まれた条件とはいえないが、その条件のなかで、一時は世界第2位の経済大国となり得たのは、日本人の知恵と努力の賜である。

つまり、宿命がどうあろうとも、それを克服することはできるのである。

逆に、宿命だから仕方がないというネガティブ思考をして、自らにタガをはめてしまうことこそ宿命本能というにふさわしい。

そういうことはあり得るであろうが、日本のような先例を見本にして、宿命など関係ない、「日本に見習え」でやればできる、と思うのがふつうであろう。その実例は少なくないのである。

これは、ロスリングが定義する宿命本能というようなものではなく、心構えの問題である。

8　単純化本能

自分が信じるひとつの見方や考え方、思想だけに依存して、問題、課題の対策を考えたら、うまくゆかない場合が少なくないという意味である。その問題や課題の本質や発生経緯の解明を怠っているからである。

ロスリングは、そのわかりやすい典型的な事例をあげて説明する。

中国で1958年に、毛沢東の指示で始められた農業革新のための大躍進政策である。これは「苗の密植」「農地の深耕」「作物保護（蟻、ハエ、蜂の駆除）」の3つの基本方針で進められた。

その結果は大失敗で、７０００万人の餓死者を生むことになったのだ。

なぜか。苗の密植は、養分不足で苗が生長せず、農地の深耕は、養分のある表土を埋め込み養分のない深土で栽培する結果を招き、作物保護の目的でやった蟻、ハエ、蜂の駆除は、天敵がいなくなったため、作物に被害をもたらす害虫を増やす結果になったのである。

つまり、問題の本質解明が十分おこなわれず、内戦では卓越した指導者であったが、農業にはど素人の毛沢東の指示を絶対視し、盲目的に従ったための大失敗であった。

これは、問題の本質の解明不足によるもので、ロスリングのいう単純化によるものではないと思う。

これは単純化というよりも、短絡思考であり、権威盲従であろう。

９　犯人捜し本能

何か悪いことが起きたとき、単純明快な理由を見つけたくなる傾向が「犯人捜し本能」だというのである。

単純明快とは、犯人を見つけることである。そして、犯人が見つかって1件落着にしてしまうことになれば、事件の本質はわからず仕舞いになるのである。

高齢者の運転による自動車事故が多発している。その原因は、ブレーキとアクセルの踏みまちがいが多いという。その防止策として、高齢者の免許を取り上げてしまう、というようなことでは不十分だと思う。高齢者が、自動車を使わないでもすむような交通システムを作らないと、事故はなくならない。

事故の張本人は、高齢者であり、その高齢者は過失運転致傷罪もしくは致死罪で処罰されるであろうが、それだけでは問題は解決しない。その根本原因となる、高齢者の自動車運転そのものをなくす仕組みを作ることが、必要なのである。

今日のように、高齢者事故が頻発してくると、事故を起こした高齢者を検挙して処罰すれば終わり、ということでは、ことの本質は何も解決しないのである。

10　焦り本能

いますぐ手を打たないと大変なことになる、と焦りまくってしまうと、思考も行動も停止してしまう、というのである。

問題が発生して、焦って、とりあえずの対策を打った結果、逆効果だったり、思いがけない悪い現象が発生したりすることはある。

問題の原因を把握し、どういう手を打ったら、関係者や大衆がどういう行動にでるか、その結果はどうなるか、という行動科学的な検討をする必要があるのである。

それをやらないと、焦りによって拙速の罠に入り込むことになるのである。

マスコミの情報による思い込み

ロスリングの『FACTFULNESS』は、アップデートにいろいろなデータを収集し、それを裏づけ、解釈して、一般大衆がいかに、歪んだ情報をつかまされているか、を実証してみせた大著である。

歪められた情報を注ぎ込まれた結果の、誤った認識や判断、行動を10の「本能」に分類して説明している。だが、そこに示される本能なるものは、大衆の判断力の至らなさであったり、心構えの問題であったりで、本能というほど大上段に構えるものではない。

ロスリングに言わせると、一流の知識人でも、データの正否をでたらめに選ばせたチンパンジーの正答率より劣ったという。そのことを何回も述べているのは解せないが、それはともかく、このように、一般大衆が歪んだ情報をつかまされている原因は、一般大衆の「思い込み」によるものであるが、そのレベルは20年前で止まっている、とロスリングは言う。

だが、それは20年前に思い込まされたのではなく、最近に思い込まされた「思い込み」なのだ。それを思い込ませたのはマスコミである。

マスコミの情報を売るコツをあげてみる。
①　読者の興味をそそる。
②　読者を驚かせる。
③　読者にリスキーだと思わせる。
④　読者を焦らせる。
⑤　読者にどうしようもないと思わせる。
⑥　ドラマティックに仕立てる。
⑦　次の情報を待ち焦がらせる。
マスコミは、もとの情報が事実であり捏造したものでないかぎり、このような操作を加えるのは許される範囲である、と思ってやるのであろう。

だから、読者はマスコミの情報には、このような特性があることを知って、判断しなければならないのである。

職人の哲学は現場主義

筆者は、長年にわたって経営コンサルティングを生業としてきたが、そのモットーは、現地、現場、現認の３つであった。

現地とは、コンサルティングの対象となっている工場や事業所のある地理的な場所であり、現場とは、工場や事業所の経営、すなわち人やものやカネとその運営そのもの、現認とは、コンサルタントとしての自分の五感で、人、もの、カネの動き方、特徴を把握することである。それが経営コンサルタントとして、クライアントに対しておこなうべき「現状把握」である。

この現状把握は予備調査である。その基本は、いろいろな資料、データの分析もあるが、一番大事なのは、各事業所、工場の管理者に対するヒアリング（インタビューともいう）である。これがうまくできるかどうかで、コンサルタントとしての評価が決まる、と言ってもよい。

その対象は、係長、課長、部長、所長から経営者までおよぶが、注意すべきは、まともにヒアリングすれば対象者は建前しか言わないことで、それは上層になればなるほど強くなる。建前とは、上から指示されている方針、こうあるべきだと思っていることなどである。管理者も上になればなるほど、その上の思惑が気になるからであろう。

だが、そんな建前は事実把握にはならない。その点、下層の管理者は一番現場を知ってもいるし、また日ごろの管理面での悩み、不満、要望を抱えているから、実態をよく知っている。それを話しても、自分に不利にはならないことをよく理解してもらって、誠意を持って聞きだせば、正直に実態を話してくれるのである。

だから、ヒアリングは下層管理者から上層への順におこなう。その際には、情報源は絶対に護るという約束のうえで、個室で1対1になり、2時間くらいかけておこなう。

こうして、下層管理者から聞きだした実態を、上層の管理者とのヒアリングの際にぶつけると「そんなことまで知っているのか」と、上層管理者も建前でなく、本音を話し始めるのである。

こうして、実態を把握し、問題点が明らかになったら、次はその因果関係を分析、解明する。ここまでが、現状把握の予備調査になる。

その結果に基づいて、今後の改善、改革の方向を答申する。

これが、経営コンサルティングの場合の現場主義の考え方と姿勢だが、この考え方、姿勢は社会問題、政治問題などすべてに当てはまるものであると考える。

現場は常に変遷する。人も変わり、業界環境、競争環境、社会環境も変わる。その実態は現場を見なければわからない。

その変遷に気づかずに、むかし自分がいたころの現場認識、感覚で指示したりする経営者が過ちを犯すのである。そういう例はいくつも見てきた。

職人魂こそ日本の宝だ

職人技ということばがある。

いいものを作りたいという思いを貫いて、自分が納得するまで時間、労力を惜しまずに、自分の経験と工夫、技術、さらには努力を傾倒して創作することである。その意識が職人魂である。

そのむかしは、職人というと、何か蔑(さげす)んだように使われたこともあった。だが、職人技とか職人芸、職人魂という言葉が知られるようになった現在、職人という言葉は尊敬と畏敬の対象になった。

改めて言うことでもないが、専門職にある人はすべて職人である。医師、政治家、教師、技術者、弁護士、経営コンサルタントなど、すべて職人である。こうした専門職の人間で、職人意識を持っていない人間は偽物だと思う。自分の仕事、腕に誇りを持っていないからだ。

日本の医療業界を革新した聖医とも呼ぶべき徳田虎雄が、経営する徳洲会病院の医師を採用する基準として、「博士号は必要ない。必要なのは臨床経験だ」と言ったのは、けだし正論である。つまらぬテーマの博士論文だけでは診療はできない。臨床経験という職人技こそ、医師としての力量を計る物差しだからである。

下町の小さな工場の親方のなかに、世界に冠たる技能を持つ人が多い事実も、職人魂がもたらした賜であると思う。

職人意識万歳、職人魂万歳。

第二章
人間のアイデンティティーは奈辺に

第一節　われらどこまでもヒューマン

カネを使う哲学

先進国では貧富の差が大きい。ひと握りの人間が、国富の大半を占めているという例も少なくない。アメリカなどは、その典型例であろう。

親からの遺産を引き継いで多くの資産を持っている場合は別として、自分で築き上げて資産家になった例も多い。これは運鈍根や力量の差であるから、当然のこととして受け入れるべきであろう。やたらに、平等を振りかざす気持ちはさらさらない。

しかし、何十億、何百億を持っている資産家に対して、そんなに持っていてどうするのか、と不思議に思うのは事実である。常識的に考えて、不思議に思わざるを得ないのである。

日本の場合、サラリーマンが定年時に保有する金融資産は、退職金を含めて2000万円くらいあればよいほうであろう。毎月の生活費が30万円として、年金に加えてこの2000万円を切り崩して生活することになる。医療費などを合わせると、夫婦ふたりの老後の貯蓄は10年前後で底をつくだろう。高齢破産とか老後貧乏といわれる所以である。

最近は少子化による人手不足から、定年後も仕事はあるから少しは足しになるが、生活の苦しさは変わらない。生活習慣病などで病気も増えてくるから、医療費も無視できない。そこで、ごく大ざっぱに、定年時の老後のための必要貯蓄額を想定すると4000万円くらいであろうか。このくらいあれば、災害で家が壊滅しても中古のマンションくらいは買えるはずである。

これをどうやって貯めていくかは、夫婦の知恵如何であるが、仮にこれ以上のカネがあったとしても使い道がないのだ。

この年齢になれば、子どもは独立しているであろうし、孫の教育資金などは子どもが工面すべきであって、そこまで親のスネをかじらせる必要はない。

投資ということも考えられるが、70歳になって、死ぬまで夫婦が食べてゆける資金があれば、いまさらリスクを負ってまで投資をすることもあるまい。海外旅行も面倒だ、ということになれば、まったく使い道はないのである。

豪邸を建てて、何十もの部屋を持っても意味はないのだ。

ならば、老後の必要資金以上は、公益に資する医療や貧困児童への支援をしている団体は、たくさんあるから、そこへ寄付すればよいのである。

さはさりながら、何百億の資産家はその資産をどうするのだろうか。

ネガティブ思考の効用

人間には、ものごとをネガティブに受け取る人と、ポジティブに受け取る人がいる。前者は神経が繊細な人が多く、後者には神経が図太いタイプが多いようである。

ネガティブ思考の人は、それだけ悩む機会とことがらが多いから、気の毒で損のような気がする。逆のポジティブ思考の人は、何ごとも呑気に受け取るから、得のような気がする。だが、実際は、そう簡単には割り切れないのである。

ネガティブ思考といっても、すべてのことがらについて、そう受け取るのではなく、とくに自分の健康や病気について、ネガティブに受け取ることが多いようである。

こういうタイプの人は、どこか少しでも具合が悪いように感じると、即座に医者に診てもらうとか、くしゃみがでると即座に風邪薬を飲むなど早い対応をすることが多い。病気に対して、きわめて用心深いのである。その結果、病気に罹らず健康でいられるのである。これがネガティブ思考の効用である。

これに対してポジティブタイプは図太いから、体調が悪くても医者には罹らず、ほったらかしにしておいたりする。そのため、病気が重くてなってしまうことにもなるのである。ひどい目に遭った人が、「オレは地獄を見てきたから何も怖いものなぞない」などと嘯(うそぶ)いたりするのも、この類いであろう。

いずれが得か損かは、一概には言えない事例である。

老いて布地の裏が見られる

筆者もいつの間にか80歳を越え、来年3月には90歳を迎える。医療の進歩と環境衛生の向上で人間の寿命は長くなった。むかしは「人生わずか50年」とか、「人生七十古来稀なり」

と言われたが、そんな言葉もいまは死語になってしまった。

人生100年時代に突入した、と言われるが『九十歳。何がめでたい』と題する本がベストセラーになるくらいで、長寿はめでたい、とは思われなくなってしまった。健康長寿というけれど、実はそれは簡単なことではない。

筆者の妻は、自分より先に死ぬな、と言うから、病をなだめつつ生きているようなものだが、老いというものも悪いことばかりでもない。

夫婦には子どもがいないから、「おじいちゃん」と呼ばれることがないせいもあってか、「高齢者」と言われてもだれのことかと思うほどで、自分のことだという自覚がない。だから気分だけは壮年である。といっても、「若い者には負けない」などとは、さらさら思わない。年相応の生き方はしていると思う。

ショーペンハウエルは「若いときは布地の表の美しい模様を見るだけだが、年を取ると布地の裏側からものごとを見ることができ、糸の絡みや織り方がわかって楽しい」と言ったが、その通りだと思う。

記憶力は落ちているからすぐ忘れるが、ものの裏側のややこしい側面が見えるようになった気がする。つまり上辺だけで、ものごとがわかった気がしているのではなく、ものごとの奥の奥まで見て、判断できるようになった気がするのである。

そんなことで、妻はあと20歳も若返りたいなどと言うが、女性がそう思う気持ちはよくわかる。ただ、筆者はそうは思わない。布地の裏を見ているほうが楽しいからである。

ものを書くことが趣味の男には、解析力が鋭くなったような気がして楽しいのである。

これが老いのよいところだと思っている。

老いたら過去は捨てて未来だけに生きる

老いるということは、取り返しがつかない感覚ということだ、という見方がある。

高齢になって先がなくなったから、過去を振り返って反省をしたり、その教訓を未来に活かす機会がなくなった、ということでもある。言葉を換えて言えば、取り返しがつかない、ということではなく、取り返しようがなくなったということなのだ。

認知症を病んだ人たちの共通感情も、寂しさと喪失感だという。つまり取り返しのつかない感覚なのだ。

取り返しのつかない感覚とは、後ろ向きの感覚である。どうしようもないことをぼやく愚痴である。

そこを前向きに考えることはできないか。どうしようもないことを愚痴っても、何も始まらない。親族や親戚、友人や知人がいなくなる。それは、自分の来し方を知っている人がいなくなった、ということである。

逆転して考えれば、それは過去の自分のミスや人に知られたくない失敗などを、知っている人がいなくなった、ということではないか。そう考えると気が楽になるではないか。あの初恋の美しかった乙女も、いまは、しわくちゃの老婆になってしまっている。それは取り返しようもない事実だ。だとすれば、美しかったころの面影をそのまま想い出にして、そっと残し、暖めるほうがずっと賢明なのである。

そうなれば、過去を振り返る必要はないし、意味もないのだから、残された未来をどう楽しく生きるべきか、を考えたほうがよいのではないか。老いるということは、過去を捨てて未来だけに生きることでもある、と言ったら言いすぎか。

いまわの際に浮かべる思いは何か

臨終の間際に、何かを思い浮かべるゆとりがあるかどうかは、わからない。病苦に耐えるのが精一杯で、ほかのことは考えられないのかも知れない。

だが、その最期の間際に、何を思い浮かべたいであろうか。

評論家の筑紫哲也は、臨終の際には「ああ！　面白かった」と思いたいと述べている。「私がどこまで言えるのか、かぎりある者の勝ち負けを決めるものさしだと私は思っている」と。

筆者などは、「勝ち負けなんかどうでもよい。それは他人が決めてくれる。死に際になってまで、そんなことにこだわるのは面倒くさい」と思うが、死に際に「ああ！　面白かった」と思う、というのはちょっとむずかしいのではないか。

人生のなかで、「面白い」と思うことがなかった、という人はいないと思う。映画、テレビ、書物、人との交友、その他、いろいろな場面で、「面白い」という感じになることはある。

だが、それはそのときだけのほんの一瞬の感覚である。

人生には、面白いことも、苦しいことも、つらいこともまぜこぜだが、その頻度からいえば面白いことが、一番少ないのがふつうではないか。

だから、いまわの際に、自分の生涯を「ああ！　面白かった」と思えるわけはない。それは不可能である。逆に、「ひどい人生だった」とか、「しんどい人生だった」と思うほうが多いであろう。つらいとか苦しいとかの記憶のほうが、鮮明だからである。

しかし、死に際に「ひどい」だの「しんどい」だのというのは嫌だな、とも思う。死に顔までしかめっ面になるかも知れない。

筆者は、死に際に思い浮かべたいことがあるとすれば、「これでよかったのだ」ということである。

つらいこともあったし、苦しいこともあった、うれしいこともあった。それが人生である。それを全部くるめて、やりたいことはやったし、思い残すこともない、「これでよかったのだ」と思って死ねれば、こんな幸せなことはないと思う。

そこには未練も悲しみもない。安堵感だけである。

独りよがりな「独善判断」の罠

政府は、災害情報伝達のやり方がわかりにくいと、それを変更したが、それでも十分とは言えない。

これまでも、避難すべきとの警報がでても、避難したのはたった1桁%にすぎなかったというような傾向があった。

それは警報が遅いとか、わかりにくかったという理由もあるが、主な理由はそうではなくて、「独善判断」によるものであったという。

つまり、「オレは大丈夫だ」という独りよがりの判断で、避難しないのである。

このような傾向は、だれにでもある。役所では早いうちに警報をだしてはいるが、大げさだとか、オレのところは大丈夫だ、などという個々の独りよがりの判断で、避難行為を取ろうとしないのである。

このような判断は、希望的観測というよりも、本人の経験とカンによるもので、その結果、予想外、想定外の災害に遭うことになるのだ。これを独善判断の罠という。

災害に遭った人たちが、異口同音に口にするのは、「こんなことはいままでに一度もなかった」「ここに何十年も住んでいるが、初めてのことだ」という言葉である。政府や行政に携わる人間は、よく「想定外」という言葉を使うが、まさに想定外のことだったのである。

災害に遭って被害を受ける、ということは、いままでになかったこと、何十年も起こらなかったことが発生したからなのである。いままでに発生したことのある程度の災害なら、すでに対策が取られていたり、経験とカンによる判断で避けられる。そうでないから、大きな被害に遭うのである。

災害というのは、多くの場合、想定外なのである。

とくに現在は、地球環境が変化してきており、いままでとはちがった、あるいは、いままでに経験したことがないような災害が頻発するようになっている。災害に備えるに当たっては、そのことを充分に認識して、神経質すぎるくらいの注意を持って手を打つとか、避難することを心がけることが必要である。

家族と自分を守るためには、独善判断は危険である。

「かっこいい」と「ださい」

「かっこいい」と「ださい」という2つの言葉は、子どもや若い人たちがよく使う。関西では、「ええかっこしい」という言い方をする場合があるが、これは「かっこうをつけている」「おしゃれやおめかしがすぎている」「気取りすぎている」という感じを指す場合で、「かっこいい」とはちょっとニュアンスがちがう。

「かっこいい」は、立居や振る舞いが素敵である、感動的であると思える場合に使うようだ。感動的だと思うのは、個々人の価値観によって決まるものである。だから、大爆音を立てて走る大迷惑なバイク乗りに対しても、「かっこいい」と思う人間がいてもおかしくはない。倫理観とは、まったく無関係なのである。

対して「ださい」というのは、野暮ったい、田舎くさい、と感じた場合に使われるようである。その語源は、「だって埼玉だもの」ということにあるのだそうだが、埼玉県人にとっては嫌な言い方にちがいあるまい。

以前、ヨーロッパに旅行した際、モンテカルロのカジノの賭けごとの場で、長い脚を組んで片肘をつき、タバコをくゆらせている女性を見かけたとき、「かっこいいな」と思ったことを記憶しているが、それはまことに、さまになっていたからであった。

社交家は軽い人

人とのつき合いを好む性質を社交性という。

ただ、人とのつき合いを好むといっても、だれでもよいわけではない。相性というものがあるから、相性がよくない人とはつき合わないのは当然である。相性とは、考え方が近い、趣味が同じ、話題が合う、などであろう。

周囲を見まわしてみると、つき合いが好きな社交家と言われる人は、おっちょこちょいで跳ねっ返りの、軽い人ばかりのようである。相性というようなことを、あまり厳密に考えない人とか、相性が合うと思う人の範囲が広い、八方美人型の人であろう。

それをもう少し詰めると、どういう人であろうか。

ショーペンハウエルは、『幸福論』のなかで、「人の社交性はその人の知的な価値と反比例する」と述べている。つまり、知性の低い人ほど社交性が高い、というのである。ということは、そういう人は相性が合う人の範囲が広くなる、ということになる。

しかし、そういう人から社交の対象として選ばれる人は、知性のレベルが同じか、劣る人にかぎられるであろう。そのほうが話を合わせやすいからである。

逆に言えば、知性の高い人は尊敬されることは多いが、つき合おうと寄ってくる人は少ないのである。なんとなく、とっつきにくいとか、話のレベルがちがうとか、自分が見透かされるように思う、などの理由によって、敬遠されるのである。

知的レベルの高い人に社交家が少ないのは、自分より低レベルの人とは、つき合おうとは思わないし、同レベル以上の人には、社交家が少ないからであろう。

それでは寂しいか、というとそうではない。自分自身の思考が相手になっていることもあるし、また書き物をするなど、退屈はしていないからである。

ショーペンハウエルも、そうだったのであろう。

信仰の効用

筆者は、神、仏、霊魂などの存在を一切否定する無神論者である。したがって、信仰しているものはないし、「神も仏もない」というが、それは当たり前だと思っている。

しかし、神仏を信ずる人、信仰のある人を否定はしない。それはそれで、立派なことだと思っている。

そんな筆者でも、家人が重い病気にでも罹っているときなどは、「神さまがいればお願いするのだがな」と、思ったりすることもある。

もともと神仏などはいないのだから、願いをしたからといって、どうとなるものでもないのだが、信仰心の篤い人たちは、それにもかかわらず神仏を頼るし、祈願もする。願いがかなえられなかったとしても、それは神さまから与えられた試練だ、などと都合よく解釈して納得しているようである。

困ったとき、苦しんでいるときに、助けてくれない神など、信仰する意味はないのではないか、と思うのはまちがいなのである。信仰心の篤い人たちには、信仰の価値はあるのだ。

日本人の多くが、正月の三が日に神社仏閣に初詣でをする。それを欠くと、何かと気になるものだという。信仰というものは、それに似ていると思う。

私には神さまがついているから大丈夫、と思っている人は少ないであろうが、そこまでゆかなくても、信心することによって、なんとなく気が休まる、と感じている人は多いはずである。逆にいえば、信仰を怠けることは、なんとなく気が咎めるのである。

このように、信じることによって気が休まることこそが、信仰の効用であると思う。

なりゆきまかせはケ・セラ・セラではない

女優の樹木希林が亡くなられたのは、18年9月であったが、彼女の生前の言行を編集した『一切なりゆき』という本が出版されてベストセラーになった。自由でなりゆきまかせの考え方で貫いた女優人生のなかで、語られた言葉を編集した本であるようだが、筆者は読んではいない。

かつて、「ケ・セラ・セラ、なるようになる…」という歌が流行ったことがあった。これは、どうでもいい、というような投げやりな感じの歌だったが、『一切なりゆき』は、そういう内容ではないと思う。

彼女の言わんとする『一切なりゆき』は、たぶん、しかつめらしい目標を立てたり、人生計画を立てたりせず、そのときどきの状況の変化やできごとに、くよくよせず、流れにまかせて自由自在に人生をすごす、ということなのであろう。

これは、何ごともでたとこ勝負で、なんでもやれるぞ、という自信の裏づけがあるからこそ、できる生き方だと思う。

実は、筆者もそうである。

ある分野で成功すると、人からは「そうなる目標を立てて、大変な努力をされたのでしょうね」とか、「その成功の秘訣を教えて下さい」などと言われたりするが、筆者には、そんなことはまったくないのである。

大学を選んだのも、大学の専門とはまったくちがう、経営コンサルタントという職に就くことになったのも、まったくのなりゆきであった。

ここでいう「なりゆき」ということについて、少し説明を加えると、なんでもやってみようという好奇心と、なんとかやれるさ、という挑戦意欲みたいなものが底辺にあるのだと思う。その意欲がなりゆきまかせ、という形になったものであろうと思う。

そういう生き方は自由で気楽である。

第二節　人生には運と縁がつきまとう

与えられる運命と選択できる運命

人間の人生を左右する3つの要素として、「運鈍根」ということが言われる。運はチャンスであり、鈍は愚直に努力すること、根は根気よく粘り強くやる、という意味である。たしかに人生には運命が大きく影響してくる。すべてのことがらに運命がつきまとっている、と言ってもよい。

人が生まれてきたのは、運命そのものである。生まれる親を選べない。それ以前に父と母が結ばれたのも運命であるし、親の持ったくさんの精子と卵子が結合して受精卵となり、自分が生まれたのも運命である。生まれた家庭が、裕福であったり貧しかったりするのも運命である。親の優れた資質を受け継ぐ、あるいはその逆も運命である。これらの与えられた運命には、選択のしようがない。

このように、自分の意思に関係なく身上に巡ってくる禍福や吉凶は与えられる運命である。物心ついてからも、運命はつぎつぎにやってくるが、その性質は異なってくる。それまでの運命は、一方的な受動であったが、物心がついて成長するにつれて、受動一方ではなく、それを自分の意思で選択することができるようになる。そうなると、自分の意思による選択如何で、人生の運命を変えることができるのである。

学校の選択、大学の選択、専修科目の選択から、さらには、職業や就職先の選択、仕事の選択、結婚相手の選択、病にかかったときの治療の選択などいろいろある。これらの選択の善し悪しは、すべて本人の人生に影響するから、運命といえるものであるが、いずれも、偶然性の高いことがらから、本人が選択した結果なのである。

このような偶然性の高いことがらに遭遇したときに、人間が取る選択のパターンは大きく分けて2つである。ポジティブタイプとネガティブタイプである。後者は尻込みして逃げてしまうタイプである。対して前者は、好奇心と挑戦意欲を持って積極的に取り組もうとするタイプである。それは向こう見ずのようだが、やれるという自信と、やってみせようという気概で、成功する確率は高いのである。成功者にはこのタイプが多い。

運命は自分で創るもの、というのはこの意味であろう。

偶然のできごとに、同じようにぶつかっても、それをチャンスとみて果敢に挑戦した人と、リスキーであると逃げてしまった人とでは、結果はおのずとちがってくる。

それも運命なのである。

悪縁を善縁に転換する知恵

自分にとって好ましくない存在なので、関係を絶ちたいのだが、いろいろな事情で関係を絶つことができないまま続いている人物との関係を悪縁という。自分にすり寄ってくるので、困りごとだと思っている人物ではあるが、断り切れない場合などである。

いやだ、怖い、嫌いだ、としか思っていなければ、その相手はストーカーということになるが、そこまでは決めつけられない。繋がりを、完全に断ち切るほどのこともないという関係で、不安定な形のまま、ずるずると長引いているのである。

これの関係は、裏を返せばなんらかの情なり、繋がっていることの必要性、利便性、あるいは必然性、つまり縁を感じているからであろう。

いろいろな人間との、いろいろな人間関係には、いろいろな形での悪縁がある。夫婦、親子、兄弟姉妹、親戚関係にもあるし、友人知人関係にもある。仕事や勤務先との関係にも近所づき合いにもある。

そういう関係を悪縁と決めつける前に、その繋がりの意味をよく考えてみれば、それを善縁関係に転換することもできるのではないか。それも人として生きてゆく知恵である。

悪縁関係だと思っていることがらで、一番多いのは夫婦関係であろう。うまくいっている夫婦は1000組に1組もない、などと言われるが、それも事実であろう。「子はかすがい」という言葉もある。子どもがいるから、悪縁を続けざるを得ないという意味である。

しかし、長年連れ添ってきた夫婦が、結婚後の年数に比例して悪縁意識化が進む原因は、夫にある場合が多い。夫が妻を女性として扱わないことが、原因であることが多いのだ。自分が食わせてやっているのだから、当たり前と思っている節もある。あくまでパートナーであるという自覚が乏しいのである。これは、そういう自覚さえ持てば解決し得る問題である。

あるいは、悪縁だと思っていたが、こんなに長く続いているのであるから、これは良縁と考えてもいいかも知れない、と思えば良縁になる。人生の運とか縁というものは、そういうものではないか。

理解はしても共感はしない

先進国の少子化は一般的な現象である。これに対して各国ともさまざまな対策を打ってはいるが、効果はあまりないまま人手不足が深刻化している。人手不足を補うためには、開発途上国からの移民を受けざるを得ない。

その結果、国内の人種を多様化させ、それによって文化、宗教、習慣のちがいによる摩擦や不況時の仕事の取り合いによるトラブルが発生し、移民排斥の大運動に発展することにもなる。ヨーロッパの先進国は、どこの国もこの問題に突き当たり、どの国も解決への見通しはない。

このようなお決まりのプロセスが、各国とも時期はずれてはいるが等しく起っている。これは文化の多様化の是非の問題として、深刻な課題になっている。

最近になって、いまひとつの多様化の問題が浮上してきた。ＬＧＢＴの問題である。レズや男色の趣向は、むかしからあったことだが、いままでは、表だって口にすることはなく、隠されてきた問題であった。これが、近時、おおっぴらなことになってきたが、これも多様化の一環だとして、世間から認知されようとしているのである。

認知されようとしてはいるが、宗教界では認めるところは少ない。

この問題について、先進国では同性どうしの結婚まで認めている国もある。日本では結婚までは認めていないが、パートナーとして、結婚に準じる取り扱いをする自治体もで始めている。これは、それに共感するまでにはゆかないが、理解は示そうということなのであろう。

ここで強調したいのは、共感と理解はちがうということである。

共感する、とはまったく同感して、自分がそうなってもよいと思うくらいの感情を持つことを意味するだろう。それに対して理解するは、同性しか愛せない、という気持ちはわからないでもないから認めてもよいが、自分はそういう気持ちにはなれない。まして、結婚まで認めるのはゆきすぎである、という見解である。

ＬＧＢＴに対する一般の感情はその程度であり、寛容であるとしても、けっして共感まではしないであろう。それが妥当な水準であると思う。

やるせない愛の運命

運命には選択できる運命があり、それは人生において出合う偶然のできごとについての、自分の選択の結果である、と前の項で述べた。これはまちがいないが、人生には、どうにもやるせない運命もある。その最たるものが、ある条件の下での恋愛であろう。

恋愛も偶然であり、自由である。近時では同性愛の恋愛も公的に許されるようになってきたが、それも含めて自由である。しかし、その当人が既婚者であり、子どももいるという場合の恋愛は困ったことになる。

「ある条件の下での」というのは、この意味である。既婚者の恋愛は不道徳であると言っても、人間だから、そういうこともあり得るのである。

魅力的な女性に恋愛感情を抱くのは、既婚であろうと、なかろうと変わりない。結婚すれば、その魅力はさらに増すかも知れない。偶然そういう人に出逢って、心底から惹かれてしまう既婚の異性がいても、おかしくはない。

それが片想いですめば、それで終わりになるであろうが、もし、相愛に発展すればことは厄介になる。ことが露見しないでも、既存の夫婦間には目に見えないひびが入るし、家庭を壊しかねないことにもなる。

当事者双方とも、家庭を捨てて新しい恋愛に走るか、じっと耐え忍んで、惜愛の心を抱えたまま家庭を守るか、の厳しい選択を迫られることになる。

こういう問題で人生相談を受けたら、どう答えるか、と自問してみるが、なかなかむずかしい。この場合、家族などなんの罪もない人たちに苦しみを与えたくないし、といっても、1回しかない当人の人生を空転させたくない気持ちも強いからである。

こういう、やるせない出逢いの偶然を恨んでみても仕方がない。

たとえ前者の選択をするとしても、なんの罪もない家族の生活や子どもの教育には、支障がでないように、万全の配慮と責任を尽くすように、と答えるしかないであろう。

それでは常識的すぎるか。

よい人間関係は自分から作る

複数の人間と一緒に生活をしたり、仕事をしたりする場合、そこに人間関係が生じる。この人間関係は、ときにややこしい問題を引き起こす。人間関係に悩んで、会社を辞めたり、うつになったりする人は、けっして少なくない。

気心の合った仲間どうしなら問題はないが、そうはゆかないのが現実である。性格が悪い人間もいるし、相性が悪い人間も混じっているからである。人間はさまざまだから、人間関係もさまざまになる。それは他人どうしだからという理由ではない。親子間でも兄弟姉妹間でも夫婦間でも、人間関係の善し悪しはある。

「空気を読む」とか「忖度する」という言葉があるが、これも人間関係の処理に関係する言葉である。前者は全体の雰囲気を察して、それに対応するためであり、後者は上司や同僚の胸の内を察して先に手を打つことである。

空気を読むも忖度するも、人間関係を処理するテクニックのひとつではあるが、いかにも諂(へつら)っているようで気分はよくない。

人間関係を良好に維持するための基本は、「自然のやさしさに基づく思いやり」であろう。

これは仕事の面でも、ふだんのつき合いの場合でも同じである。

「自然の」というのは、人間関係に一生懸命に気を遣うという意味ではない。それでは疲れてしまうし、それがうつの原因になるかも知れない。そうではなくて、ごく自然に気がついた範囲で、ということである。人間、気を遣うというのは疲れるが、気がつくというのは疲れないのだ。

そういう形でのやさしさに基づく思いやりである。なかには、頑(かたく)なでなかなか受け入れてくれない人もいるであろうが、長く続けていると、その頑なさは溶けてくるものである。

そういう気持ちでお互いに接すれば、人間関係が問題化することはないのではないか。

そうなるためのきっかけは、自分から作るつもりでやるのである。

雑談の話題は山ほどあるが

人と雑談する場合の話題のネタの種類はたくさんある。天気のこと、時事問題、景気のこと、政治のこと、趣味趣向、スポーツ、家族の話、病気の話など多様である。こうした雑談を通じて絆のようなものも生まれてくる。

話題の豊富な人は、これらのいずれにも関心や興味を持ち、多趣味で多芸な人ということになろう。

外国人と雑談する場合は、政治と宗教の話題はタブーだと言われている。その人がどのような政治意識を持ち、宗教観を持っているのか不明だから、思いがけない展開になるかも知れないからである。

これは、国内で同国人との雑談の場合でも同じであろう。

外国人ではどうかわからないが、日本人どうしでは、雑談の話題は自分のことを話すのが中心になる。相手のことをあれこれ尋ねるのは、おせっかい、詮索好きだと思われたり、失礼になるかも知れないので、避けるのだという。

しかし、これは相手に失礼である、という説もある。「あの人は自分のことばかりしゃべる」という批判もあるから、そういうこともあるのであろう。

雑談の話題は、男性どうし、女性どうしでもちがうし、年齢によっても異なる。親近度によっても異なる。だから、異性間では話題がかぎられてしまうし、同性でも、同年代のほうが話が合って話題が発展することになる。

男性と女性では、女性のほうが雑談は進む。女性は、本来的におしゃべり好きということもあろうし、内容も世間話から家族内のこと、料理のこと、ファッションのこと、髪型のことなど広範にわたるからだ。

年齢層によっても、話題は異なる。女性の場合は、若年層ではおしゃれやファッションのことなどが中心になろう。中年以上は、子どものこと、家庭のこと、嫁のこと、姑のことなどが、さらに高齢者になると、健康の話題が多くなろう。

こういう話を人から聞かされるのが嫌だ、と思う人は雑談を好まず、人とのつき合いを避けるということになる。それは、人との絆を避けるということにも、なるのであろう。

第三節　女性力のしたたかさ

女性への禁句

寛容とか我慢という面では、女性よりも男性のほうが優れている。女性のほうがわがままだからである。

わがままというのは、自分の気に入らないことは、いっさい許せないという姿勢であるが、女性が気に入らないという範囲は広い。それは年齢によってもちがうが一般的には次のようになろう。

・年齢に関わること（30代以上になれば年齢を聞いたりするのは絶対にダメである）
・けなされること（容姿、服装、自分が買ったもの、自分がよい思っていることについて）

・自分の老いに関すること（しわ、皮膚、頭髪、視力、聴力、体力など）
・ものの言い方（怒りを含んだ言い方、面倒くさそうな言い方など）
・自分の務めだと思っている領域に関する批判（料理、家事、子どもの躾など）
・自分の家族に関すること（親族への侮辱、悪口、批判など）
・自分が好意でしたことへの反応（謝意を示さない、感謝の気持を持たないなど）
・自分の好みに対すること（批判、反対、不同意など）
・自分がよいと思っているすべてに関する反応（不同意、無視など）
・自分の行動に関する制約と感じること（急がせたり、注意したりするなど）

女性が気に入らないことは、このように広範囲にわたるが、その女性の感受性や性格、年齢で異なるから、その範囲を把握するのは容易ではない。長い年月がかかるし、その間に衝突を繰り返すことになるのである。

しかし、夫婦の円満はそれが条件になるから、男性とすれば、耐えねばならない義務だということになる。

色気という女性のカード

このところ、先進国を中心にセクハラ告発が増えている。

セクハラ自体は、いまに始まったことではなく、むかしからあったし、むかしのほうがはるかにひどい状態であった。

ハラスメントは、いじめる、嫌がらせをする、という意味だが、この言葉ができたのは、そんなに古いことではないと思う。男女平等が強調され、性差別の禁止などが重視されるようになってからであろう。

「色気を武器に」という言葉や行為がある。女性スパイの場合には女性特有の武器であった。これは、男の弱みである女性の性への関心に乗じて、目的を達するための武器となったのである。これはかなりの効果を上げたようである。

逆に、男性側からは、性への欲求満足と引き換えに、特定の女性に便宜を図ってやるとか、特別に優遇する、という取り引きに使うのである。映画や演劇の世界などでは、このようなことは古くからあったという。

また、女性が政界に進出する際にも、自分で左右することができる多数の票を持つ人が、その票と引き換えに性的な要求をする、というような事案があるようである。まことに汚いやり口ではあるが、ありそうな話である。これに応じるような女性は、色気を武器に政界に進出するわけで、政治家の資格なぞない。これはまさに売春政治屋である。

こんな要求をされたらピシャリと断り、卑劣な男の名を公表するほうが得票数は伸びるであろう。

女性が自分の尊厳に誇りを持ち、男性がそれを尊重する社会になれば、こんなことはなくなるのであろうが、意識的にか無意識にか、色気を武器に使う女性はなくならない。

男は顔つきだが女はおしゃれ

自分の姿、格好をよく見せよう、よりきれいに見せようとして、化粧、髪型、衣装、装身具などを操作するのが、おしゃれということであろう。

これは主として女性がやることだ、と思っていたら、最近では男性もやるようだ。以前は、男性のおしゃれはせいぜい服装どまりであったが、いまは顔の化粧もあるという。化粧品店には男性専門の売り場もあるのだ。

時代によって感覚がちがってくるのであろうが、昭和初期生まれの男には、顔の化粧などは、とても考えもつかないものであった。

リンカーンは「男は40歳をすぎたら自分の顔に責任を持て」と言った。それは40歳にもなれば、それまでの生き方、すごし方、考え方によって、おのずと自分なりの面構えができてくるものだ、その責任は自分にある、ということを言いたかったのであろう。

それは、その通りだと思う。

筆者も、男の看板は顔つきであると考える。「馬子にも衣装」という言葉がある。人はその衣装によって、見栄えが異ってくるという意味だが、それまでの生き方が造りだす顔つきまでは、ごまかせないのではないか。

なんといっても男の看板は顔つきだと思う。衣装やおしゃれでは絶対にない。

顔つきを決めるものは、2つある。ひとつは、その人のふだんの生活信条であり、いまひとつは職業である。その決定比率は前者が8割、後者が2割くらいではないか。それも、前者が基礎的、固定的であるに対して、後者は変動的である。つまり、職業が変われば変わってくるのである。

女性のおしゃれは当然のことで、女性はいくつになっても、おしゃれをしたほうがよいと思う。筆者の妻もおしゃれで、筆者に対しても、常々「男も老人になるほどおしゃれをすべきである。そうしないと見苦しくなるから」と言う。そうかも知れないと思うが、あまりやらない。男の場合は、清潔できちんとしていればそれでよいと、思うからである。

外出する際の女性のおしゃれにしても、それを見て評価してくれるのは、知り合いの人を除けば、ブティックの店員さんくらいのものだが、それでもよいと思う。外出のときはおしゃれをするという心が、姿勢や動作をしゃきっとさせ、ひいては、ふだんの生活にも好影響を及ぼすからである。

男の場合も同じで、看板はあくまで顔つきである。

こんなことは女性蔑視ではない

19年2月26日の朝日新聞に「ママの気持ち翻訳サイト批判」という記事が載っていた。江崎グリコの、子育て用アプリを紹介するホームページに対する、女性サイドからの批判である。批判が殺到したのは、妻が怒ったときの言動を8つのパターンに分けて、それぞれに夫側の対応について述べた部分であった。その一部を紹介してみよう。

・「一緒にいる意味がないよね」

これは、「私のことをどう思っているのかね」という意味だと言う。

・「これをするの大変なんだよね」

これは「感謝してね」とか「あんたがやってみれば」という意味だと言う。

・「仕事と家庭とどっちが大事なの？」

これには、仕事上の愚痴などを打ち明けるなどして、話をそらさせてしまう手もあると書く。

妻が怒ったときの言動に対して、夫側はこのように考えればよい、という内容である。それには妻側から、女の言葉なんか適当に聞き流してごまかしてしまえばよい、という女性蔑視の態度だ、と批判が強いというのである。江崎グリコは陳謝したという。

しかし、現実の実感から言えば、この程度の妻の発言は常にあるし、夫側はそれにいちいち応えてもはじまらないから、適度に受け流すのは夫側の知恵でもあろう。それをヒステリックに怒るほうがおかしいと思う。

こうなるのは、子どものころから、甘やかして育てられたことによる妻のわがまま勝手である。妻の家庭管理という面からも、考えなければならない。

その言い方にも原因があると思うが、それは夫側で我慢するしかあるまい。

肩肘張ったジェンダー論を排す

女性の管理職が少ない、議員が少ない、社会進出が少ない、これでは制度を変えなければ、平等にはならない、とかのジェンダー論がかまびすしい。

「女がそんなことしたら、みっともない」「女の子らしくしなさい」と厳しく躾られるところから、平等でない女性像が作りだされるのだという。

だが、「フェミニンな」という女らしさを重んじる言葉もあるし、女性が体の線がそのままでるピチピチのパンツを穿いたり、腹巻きがずり落ちたような短いスカートを好んで穿いたりするのは、自分の女らしい魅力的な肉体を、見せびらかすためにやるのであろう。それが女の性なのだと思う。

また、社会では男性優位だが、家庭ではどこの家庭でも、仕切っているのは主婦なのである。それだけ女性の位置は高いのである。

「ご主人」という言葉も、やり玉にあげられる。語源はともかく、むかしから言い慣れた符丁みたいなものと思えば、どうということはない。「ご夫君」などと言われても、ピンとこないのだ。

フランスなどでは、議会の議席の男女比率を平等にするために、女性の議席枠を決めたりしているようだが、枠を決めることによって、議員としての能力に欠ける人物が選出されるリスクも、考えるべきであろう。議会での女性の議席を増やしたいというなら、議席枠を決めることではない。まず女性が政治家になるという意欲を持つことが基本であり、もっと大切なことは、議員となるに相応しい政治知識や政見を持てるような勉強をすべきである。そうすれば、枠などとは関係なく議員になれるだろう。

鉄の女と言われたイギリスのマーガレット・サッチャーや、長期にわたってドイツの首相を務め、ＥＵを引っ張ってきたアンゲラ・メルケルのような立派な女性政治家もいるのである。

肩肘張ってジェンダー論を唱えるのは、コンプレックス意識を裏返ししたようで、情けない感じがする。

女性には譲りかつ慣れること

母親も妻も、女性であることにちがいはないが、母親が息子に対する場合と、妻が夫に対する場合とでは、人間関係面で大きく異なっている。

母親と子どもとの関係では、母親は親としての面しか示さない。母親は子どもに対しては母性の「わが子への愛」がすべてであるから、女性としての面ではなく、母親としての面がすべてなのである。

女性が男性に対して、女性としての面をあからさまにだすのは、恋人か夫の場合である。

だから、男性は女性とのつき合いがないうちは、女性の本性がわからないのである。母親をみていただけでは、女性はわからないのである。

筆者は2度結婚した。前の妻が病死したので、いまの妻を迎えたのであるが、二人とも結婚生活は30年を越えている。

前妻といまの妻は、性格がまったくちがう。前妻は雌鶏のような人で、暖かく覆ってくれる感じで、嫉妬深い点を除けばおおらかな人であった。いまの妻は、神経が繊細すぎて感じやすく、甘えん坊で寂しがりやで泣き虫だが、負けん気が強く、喧嘩には強い、という性格である。

この二人からは、夫婦間の人間関係について多くを学んだ。そのことがらは、1年や2年の結婚生活でわかるというものではない。めったに起こらないような案件もあるし、30年で初めてという案件もあるからでもある。

細かいところまでは覚えていないが、前妻から学んだのは「男と女の考え方はちがう」ということであった。自分はこう考えるのだから、妻も同じであろうと思うと、とんでもなくちがうということもあった。そこで喧嘩になるのである。

それはどちらが悪いとか、まちがっているという問題ではなく、性差による考え方のちがいであった。だから、男のほうが譲らなければならない。女性は頑固だからである。
いまの妻から学んだのは、繊細な人の扱い方である。神経の繊細な人は、すべてに繊細である。皮膚も繊細なら、気温にも、病気にも、事件にも繊細である。筆者は鈍感だから、最初はその繊細な受け止め方に戸惑ったし、慣れるまでには時間もかかったが、それに応じた扱いには慣れた。それは、理解し共感することが基本である。

要するに、平和というのは「思いやる」ことである。それは国家間も同じだと思うのだが。

第四節　気に障る連中が跋扈する

恥ずかしさよりカネが勝る

人間には、いろいろなことがらについて、自分なりのイメージを描いて、それを疑わないという性癖がある。

女性についてもそうである。

女性は、恥ずかしがりやで、お淑やか、男のように好色ではなく、万事に控えめ、というようなイメージを抱いている。それは勝手に抱くのではなく、周囲の女性を見ていて程度の差はあれ、ほぼそのイメージに当てはまるから、それを疑わないのである。

ところが、そのイメージに反するようなことに出合うと、「なんで！」ということになるのである。

インターネットには、若い女性のヌードというかポルノがたくさん掲載されている。それは、ポルノ映画に出演するＡＶ女優ではない。素人の若い女性ばかりである。一見してそれはわかる。

業者の、「お小遣い稼ぎしませんか」というような広告につられた女性たちであろう。そこで、業者の指示で下半身の肌着を脱がせられ、しゃがみ込んで両膝を立てて脚を開き、指示通りに両手で大陰唇を開き、陰部を丸見えにさせられるのだ。その間に、自分の陰部の特徴を「私のおまんこは……です」と言わせられるのである。

さすがに、恥ずかしそうに、てれ笑いしながら小声で言っているところを見ても、まさしく素人である。さらには、自分の指を膣に突き入れさせて、鼻先に立てて「なんの匂いがしますか」と問うて答えさせたり、その指をなめさせて、「どんな味ですか」と問うて、答えを強いたりするのである。これらは、第1段階であろう。

第2段階では、見も知らぬ男に対してフェラチオをさせられたり、セックスさせられたり、口に精液を射出させられ飲まされたりするのだ。

まったく驚くべきことである。

登場するのは、いずれも器量も姿も並み以上の女性である。身なりもきちんとしているから、とくに生活に困っているようにも見えない。なかには、夫がほったらかしにしているため、欲求不満の女性もいるようである。

また、第1段階と第2段階の間には、聞きだした個人情報を振りかざして、「言うことを聞かないとばらすよ」というような、脅迫めいたことがあっても、おかしくないと想像されるのである。こんな問題は、人に相談することもはばかれるから、いいなりにならざるを得なくなるのであろう。

ともかく、このような事実を知ると、最初に書いた女性に対するイメージが、まったく崩れてしまう。

登場する女性たちも、こういうことになるとは、最初からわかっているはずである。それにあえて応じた理由は、例外なしにカネほしさであろう。

「人類の最初の商売は売春であった」という話がある。それから考えても、そんなに異常なことではないのかも知れない。

人間の欲の本質は、性とカネなのか、と考えざるを得ないが、それは程度の差はあれ、男も女も変わらないのであろう。

性のタブーをなくすべきか

タブーとは、それに触れたり、口にだしたりすることを、禁止されているわけではないが、なんとはなく憚られる、という意味である。

自由な民主主義社会では、人権蹂躙的、人権無視的な言動以外にはタブーはない。だが、お互いに恥ずかしくなるような話、触れたくないようなことはある。性に関することは、そのひとつであると思う。

夫婦間や性交渉のある恋人間の場合を除いて、性の話はタブー的で、気恥ずかしい思いがするものである。男どうしでさえ、下ネタはあまり好まれない。

ところで、19年3月19日の朝日新聞夕刊に載っていた、「大人の保健室」の「性のタブーをなくすには」の記事には驚いた。

20代から50代の女性４人による座談会形式の記事である。このうち３人は控えめな発言をしていたが、なかのひとり、仮名マリさんの過激な発言には驚いた。

自分のほうから、セックスしよう、と夫を誘うという話は驚くこともないが、「夫以外でも話していてこの人いいなと思ったらこちらからゆく」と述べたり、「夫とは週2回していますが、常に恋人がいますし、バイセクシャルなので女性とかとも経験があります」などとも発言している。

本人はドヤ顔で言っているようだが、これではまるで乱交の話ではないか。性のタブーをなくす、などの話の域を超えている。こんなことを許し合う夫婦は、いったいどうなっているのか、不思議千万である。

「性のタブーをなくす」はあくまで夫婦間、性交渉のある恋人間にかぎっておく、他人には秘めごとにしておくのが、好ましいと思う。

特殊詐欺の被害者は間接的加害者にも

いまは特殊詐欺と呼ばれるが、原型はオレオレ詐欺である。手を替え、品を変えて手口が巧妙化、多様化、複雑化して、その件数も被害額もいまだに増え続けている状況である。

19年には、1万6000件、被害金額は300億円にのぼるという。

犯罪でも、強盗をして捕まれば、わずか1万円取っただけでも、懲役3年くらいは食らうことになろう。それに対して特殊詐欺では、数千万円を騙し取っても、詐欺だから刑罰は軽い、ということになるのである。

金銭犯罪のうちでも、1件当たりの奪取金額の大きさや、警察に捕まる割合の低さからいっても（捕まるのはカネを取りに行く「受け子」ばかり）、こんな効率のよい犯罪はほかにはない。おれもおれもと、真似して参入する奴が増えてくるのは当然である。

受け子として捕まるのは、中学生も少なくないというのも困った現象である。1度やったら、やめたくなっても「警察にばらしたら、ただではすまないぞ」とか、「学校にばらすぞ」と脅されて、ずるずると続けさせられる場合も多いのであろう。ひどい話である。

それだけではない。特殊詐欺の被害者は、自分が多大な被害を被っただけでなく、この詐欺が効率的な犯罪であることを世に知らせ、さらに犯罪を誘発させる、という結果をもたらしているのである。その意味で、後から発生する特殊詐欺の被害者に対しては、間接的ではあるが加害者的な役割をも果たすことになるのである。

被害者には気の毒で同情はするが、客観的にはこうも言えるのである。

この犯罪が始められてから半世紀以上になるが、こうして、特殊詐欺は増え続けているのである。

親が子どもを虐待する心理は

親による子どもに対する虐待、暴力行使の事件が増えている。

それを防ぐために、児童相談所や学校、市町村の担当部署もいくつかあるが、児童虐待の増加傾向は止まらない。

虐待する親は、子どもの躾のためだなどと、もっともらしいことを言うが、そんなことはうそっぱちに決まっている。かんしゃくを起こして子どもをぶん殴ったり、蹴ったりしても子どもは親への嫌悪感や恐怖感を覚えるだけで、躾などになるわけがない。ましてや、まだ言葉もわからない乳児を暴力で躾するなどは、狂気の沙汰で論外である。

言葉がわかる幼児には、繰り返し言って聞かせて、わからせることが躾としては有効だと思う。そんなことは、わかっているにもかかわらず、思わず手がでてしまうこともあろう。それは、目の前で悪いことをしているのを目撃したような場合である。それは反射的な行動だから、たまにはそんなこともあるだろう。

だが、そうではなくて、ささいなことを咎めて日常的に虐待するのは、計画的かつ悪質な家庭内暴力であり、これを許すわけにはいかない。

こういう親は、外面はよい人で、職場でも評判がよいという場合も多いのではないか。それが家庭内で暴力を振るったり、虐待をするというのは、どういうことなのか。

この問題について、心理学者に聞いたりするが、納得できる答えは得られない。

職場などでの不満、鬱憤が溜め込まれて、家庭内で弱い者に向かって放出される「破期」と、その暴力発揮を反省して謝りたくなる「反省期」、さらに外での不満が溜め込まれる「蓄積期」とのサイクルが引き起こす、周期的な現象であるという説もある。

それらの説を吟味しながら考える。

外での不満、鬱積はだれにでもあるだろうが、それが家庭内で子どもに対する暴力に結びつく経緯がわからない。ぼやき、愚痴として家で吐きだす人は多いだろうが、それが子どもへの暴力に化けるとは、考えにくいからである。

ＳＮＳに操られるな

ツイッターやフェイスブックなどのＳＮＳは、迅速かつ広域に情報を流すツールとして重宝される。それは便利であるがゆえに、多目的に利用されるが、同時に悪用もある。

ＳＮＳを使って、デモを呼びかけたりする場合もあり、その結果の善し悪しは目的によって異なってくる。しかし、いたずらに使われたり、デマの発信だったりと、悪用されるとえらいことになる。

地震の際に、ライオンが街に逃げだした、というデマが発信されて世間を騒がせた例もあった。災害発生時に、「火災竜巻」がやってくるというデマ発信が原因で「雑沓なだれ」が起き、多数の死傷者をだしたこともある。

４年前のアメリカ大統領選で、トランプがプーチンと結託して、クリントンに不利なＳＮＳを流したという疑惑も浮上している。

さらに、アプリを通じて得られる大量の個人情報から、個人の人格などを分類して、誘導可能性の高い人物を抽出し、これに対してウェブ広告を狙った方向に誘導する、といった手口を応用して、選挙などに利用することも、おこなわれているという。

このような手口に引っかかるのは、考えの浅はかな層であろうが、インチキSNSに引っかからないようにするためには、情報の真偽をきちんと見分け、正しい判断をするより方法はないであろう。

その見分け方は、事態の性質、真偽の確認方法、緊急性、情報源の4点である。公共放送で地震速報があったりすれば、呑気に構えてはいられないから、真偽の確認よりも即断が必要である。これが、「火災竜巻」などという情報なら、周辺に垂直に立ち上っている煙の有無の確認が必要であろう。

とはいえ、「敵」はAIなどを使って複雑にして巧妙な仕掛けをするだろうから、ゆめゆめ油断はすまい。

SNSには、そんな心構えも必要だろう。

第五節　ときに思考力を鍛える

ひらめきの不思議

何か、仕事上の問題や課題があって、あれこれ考えてみてもなかなか解決策が浮かばず、苦労することがある。そのようなときには、そのテーマを四六時中考えているわけではないが、頭の隅には問題や課題が意識されている状態になる。

そういう状況にある場合、そのテーマを真正面から考えていたときには、解決策はさっぱり浮かばなかったが、思いもかけないときに、ひょいと頭にひらめいてくるということがある。

これは、むかしからあったようで、「馬上、枕(ちん)上、厠(し)上」と言い、合わせて「三上」と言われていた。馬上は馬に乗っているとき、枕上は床について眠ろうとするとき、厠上はトイレで用をたしているときを指し、そういうときに、アイディアがひらめくという意味である。

筆者の場合は、電車のつり革にぶら下がって、ぼんやり外の景色を見ているときや、新幹線で外の景色をみているときなどに、ひょいとひらめくことが多かった。

なぜかはわからない。対地面の速度が変わるので、脳を刺激するためか、と思ったりするが、確信はない。

古代ギリシャのアルキメデスが浮力の原理を発見したのは、風呂に入って風呂の湯があふれだしたときであったという。

ドイツの政治学者マックス・ウェーバーは、「突然のひらめきは、思索に没頭しているときではなく、ソファにもたれてぼんやりタバコをくゆらせているとき、それは直感のように現れる」と言っているが、これも同様の状態である。

ひらめきや、それと似たような着想は、そういう性質のものであろう。

それは、解決すべきテーマを頭の隅に抱いているから、そういう状態が起きるのであり、それは眠らない「植物神経」がなせる技である、という人もいる。ただし「植物神経」なるものが人間にある、という証明はない。

脳科学では、どのように説明するのだろうか。不思議ではある。

裸婦像の美しさ

世のなかには、視覚的に美しいものはたくさんある。なかでも、もっとも美しいのは裸婦像であると思う。それはセクシャルな関心や興味とは異なるものであるが、いくつかの条件がある。

1　中肉中背であって、あまり太りすぎず痩せすぎない。
2　お尻がある程度大きくて出っ尻気味である。
3　鳩胸気味である。
4　腰部がくびれている。
5　肌が柔らかい感じですべすべしている。
6　頭が大きすぎない。

7　脚がすんなりと伸びて女っぽい。
8　腕がしなやかである。
9　色白。
10　全体にバランスが取れている。
11　年齢は30歳前後。
12　陰毛はないほうがよい。

こういう条件を書きそろえてみると、そういう裸婦像は、めったにないものであることがわかる。

彫刻家なら、自分で理想に近い裸婦像を創れるのであろうが。

健筆家と読書家

世のなかには文章を書くのが好きで上手な人と、本を読むのが好きでたくさんの本を読む人がいる。前者は健筆家と呼ばれ、後者は読書家と呼ぼれるが、この両方を兼ねる人は滅多にいないという。

慶応大学の元学長・小林信三は、健筆家であり読書家でもあった人として、カール・マルクスを挙げている。マルクスはロンドン滞在中に、毎日図書館に通って読書をしていたという。それがあの大著『資本論』を生みだしたのであろう。

読書家でも本を書く人は少なくないが、たくさんの知識を持っているせいか、ほかの著書からの引用やその解説が多く、自説が少ない傾向がある。それに比べると、あまり本を読まない寡読家で健筆家の人の本は、自説が多いように思う。

それは、自分独自の説を展開したいから、あえて本から遠ざかるのか、自分独自の説を展開するためには、他人の説を知ることは却って邪魔になると思うのか、いずれであろうか。たぶん、両方の理由であろう。

筆者の場合は、テーマを決めて、それについて考え、それを執筆するのが好きで書いているので、自分で考えることが優先される。だから、理化学などの、まったく手も足もでない分野については、本に頼るしかない。

そのようなテーマを選ぶこともないが、基本的なことで、もうひとつわからないことがあれば、書物を読むことになるが、基本的なことがわかっていれば、自分で考えることになる。当然、寡読なほうになるであろう。

だから、考え方が他人とちがうことが多いようである。そのちがいが正しいか否かは、読者に決めてもらってよいと思う。

それに従うか否かは、自分で決めることにはなるが。

新陰流・柳生家の家訓

「小才、縁に出会って気づかず、中才、縁に気づいて縁を活かさず、大才、袖振り合う縁を活かす」

これは、家康以来、江戸将軍家の兵法師範を務めた新陰流・柳生家の家訓であるという。

ここでいわれている「才」とは、判断力を指し具体的には好奇心と挑戦意欲であり、「縁」とはチャンスのことであろう。この能力の如何によって、せっかく到来したチャンスの活かし方は、判断力や好奇心、挑戦意欲などの能力によってちがってくる、という意味である。

この能力が小さい人物は、チャンスがきたときにそれに気がつかない。中くらいの人物は、チャンスだとは気がつくが、逃げたり尻込みしたりして、挑戦しようとしない。判断力に優れ、好奇心と挑戦意欲の高い人物だけが、そのチャンスを活かし成功を収めることができる、という家訓である。

これは出世のために、上司に諂（へつら）ったり、おべんちゃらを言うことではない。自分の能力を最大限に発揮できるチャンスをつかみ、発揮するためである。それによって、たんなる独りよがりの自己満足でなく、ほんとうに他人も認める、やりきったという自己満足が味わえるのだと思う。

もっとも、本来、小才の人物が大才の真似しても、失敗するであろう。それがチャンスか否かを見きわめる判断力と、チャンスであると判断しても、それをやりこなせるだけの自信と能力が、ともなわなければならない。それも才のうちだからである。

ということは、この家訓は、事実を示したもので、「こうやれ」という教訓を示すものではないことになる。才のない人物は諦めろ、という意味でもあるからである。

『歎異抄』の逆説

『歎異抄』は、13世紀に活躍した浄土真宗の開祖・親鸞が説いた教えを、弟子の唯円がまとめて書いた、といわれる文書である。

この書については、これまで多くの評論、解説、解釈がなされてきている。宗教界にかぎらず、幅広く読まれ、多くの評価を受けてきている。司馬遼太郎が「無人島に1冊だけ本を持っていくなら『歎異抄』だ」と言ったという話もある。

親鸞が生きた時代は、源平が争い平家が滅びて、頼朝による武家政治が始まった時代である。仏教界では多数の宗派が派生し、相互に批判し合っていた。そのため、親鸞自身も旧仏教勢力の讒訴によって僧籍を剥奪され、越後に流刑に処せられた。その弟子たちのなかからも、死罪や流罪に処せられる者がでる、という不安定な時代であった。

それに加えて大飢饉が頻発している。1182年には養和の大飢饉が発生、鴨長明の『方丈記』にも、「道のほとりに飢え死ぬるもののたぐひ数も知らず」と詳述されているように、いたるところに餓死者の遺骸が散乱していたという。また、1185年には、京都に直下大地震が発生している。

親鸞は、1173年に生まれ、幼少にして得度していたから、この飢饉や大地震のときには仏門にあった。

このような不安定な時代で、民衆にとっては飢餓や病気に喘ぐ苦難の時代であった。そのため、「苦しい生活を強いられるこの世は、仮の世で本当の世は死後のあの世である。だからあの世で幸せになるように祈るしかない」という考え方が、世のなかを支配したのであろう。

そこで無学の人でも、文字を読めない人でも、「南無阿弥陀仏」と唱え続ければ、極楽浄土へ行ける、という教えが広がったのである。

親鸞の教えのキーワードは、3つあると思う。

それは「阿弥陀仏」と「念仏」と「他力本願」である。

「阿弥陀仏」は極楽浄土を主宰する如来で、法蔵菩薩として修行していたが、久遠にわたり、生きとし生ける者を救済する衆生救済のため四十八願を立て、成就して仏となった如来である。

「念仏」は「南無阿弥陀仏」で、阿弥陀仏の四十八願の第十八願で、浄土宗の中心となる願であり、「これを唱える衆生は極楽浄土に往生できる」と説く教えである。

「他力本願」は、極楽往生のために、ただひと筋に阿弥陀仏の約束の力、すなわち他力を信じ、これにすがるために、心底からの信心をするということである。

親鸞の教えに「善人なをもて往生をとぐ、いはんや悪人をや」という有名な一節がある。これは、自分は善行を積んでいるから、仏の力を借りないでも極楽往生できると思っている人たちがいるが、それは他力本願の意趣に背くもので、阿弥陀仏の救済の対象ではない。それに引き換え、悪人はほかに頼るものがないから、ただひと筋に仏を頼って、他力に身をまかせようとする信心があるから、必ず救われるのである、という意味である。

この3つのキーワードこそが、『歎異抄』の真髄であると思う。

これを真の哲学だと言う人もいるが、地獄極楽など信じない筆者には、合点がゆかない。

そういう庶民の苦悩に対して、現代なら、たちどころに政治が悪い、という政治批判につながる状況である。

それを考えると、政治の悪さをカバーする働きになっていることは、確かである。

有能な経営コンサルタントに剣士型と軍師型

コンサルタントという言葉は、いまは一般化しているが、筆者が日本最大のコンサルタントファームである日本能率協会に所属した当時は、経営コンサルタントという名称は、一般には通じない時代であった。

ところで、経営コンサルタントには、「剣士型」と「軍師型」の二通りの型がある。そう名づけたのは筆者だが、以下、説明しよう。

剣士型というのは、経営の特定分野、たとえば生産管理、マーケティング、品質管理、人事管理、作業管理など、各専門分野でのコンサルティング経験が豊富な、ベテランコンサルタントである。これは宮本武蔵のような剣の達人を連想して名づけたものである。

対して軍師型というのは、豊臣秀吉に助言した黒田官兵衛のように、会社経営全体の問題や課題、経営方針についてコンサルティングをする、ベテランコンサルタントである。数でいえば、軍師型は少ない。コンサルタント100人にひとりいるかいないかである。

最初から軍師型のコンサルタントはいないし、それを目指したからといって、なれるわけでもない。はじめは、それぞれ剣士型コンサルタントについて、それぞれのプロセスで修行するのである。

軍師型になるのは、自分が宣言してなるのではない。剣士型の経験を積んでいるうちに、いつの間にか軍師型になっているのである。同業のコンサルタントが「彼は軍師型だ」と、否応なしに認めることで、そうなる。だから、その門は狭い。

その誕生の経緯について、説明してみよう。

コンサルティングの仕事は、企業経営者から依頼されるところから始まるのだが、最初は、すべて特定分野についてのコンサルティングの依頼になる。

コンサルティングには、予備調査と本調査がある。

予備調査からはじまるが、これは、クライアント会社を理解し、次の本調査の方針を立てるための調査である。まず、クライアント会社を理解しないことには、何も始まらない。

この予備調査は、クライアント側の各種の資料の調査や管理者クラス、経営者へのヒアリングつまりインタビューをやる。必要なら、社外の関連会社や協力会社にもヒアリングをすることもある。

こうして、クライアント会社の特性、経営環境、問題、課題を認識し、これをまとめて「予備調査報告書」として経営者、管理者に報告するのである。その際、本調査をする場合の調査方針を明示することはもちろんである。

軍師型コンサルタントは、この予備調査の段階で、クライアントからの依頼テーマのみならず、企業全体の総合的な現状と問題や課題についても見解を報告する。その際に、クライアントの経営者、幹部がその総合的報告に共鳴して乗ってきたら、経営全体についてのコンサルティング、つまり本調査となる。そうなると、コンサルティング業務は、複数年単位の長期になる。

このような、経営全体を総合的に対象とするコンサルティングが繰り返された場合、そのコンサルタントが軍師型と言われるようになるのである。

この場合に、軍師型コンサルタントのコンサルティングに共鳴するかどうかは、クライアントである。その意味で、軍師型コンサルタントを育てるのは、クライアントである、と言えるのである。

ところで、この軍師型コンサルタントは、だれでもなれるものではない。そのやり方、手順がわかったからといって、できるものでもない。プロの経営者に「うん」と言わせるのはそう簡単なことではない。やはり、天賦の才能がいるのであろう。

そのやり方、手順、思考、判断、解析のやり方は、一般論として書くことはできるが、それを読んでも実践はできない。実際のケースをフォローしても、個々の会社によって、業界環境も企業の特性も千差万別だから、その通りにはやれない。

そこが、剣士型コンサルティングとの大きなちがいにもなるのである。

だから、軍師型は100人にひとりもいないのである。

第三章
象徴天皇制は成熟する

天皇制は奴隷制という暴論

令和と元号が変わる直前の、19年4月3日の朝日新聞朝刊に、東大教授・井上達夫の「象徴に依存する日本人」と題する変わった論文が掲載された。

その主なポイントをあげてみよう。4点ある。

1　天皇は、自らの地位の正当性の根拠である「国民の総意」による支持を、日々調達しなければならない。その自覚ゆえに国事行為を超え、慰霊の旅を繰り返した。

2　天皇制を日本に残った最後の奴隷制と考える。

3　象徴としての記号を下げた天皇、皇族は政治権力どころか、人権まで剥奪され、表現の自由や職業選択の自由もない。

4　特定の血統を持った一族から人権を剥奪し、彼らを国民のアイデンティティーを確保する道具として利用し続けるのは、異質な多様者の共生の思想としてのリベラリズムと相容れない。

このような論調である。

1の国民の総意による支持を受けるために、慰霊の旅を繰り返した、などとは品のない下司の勘ぐりであろう。そんな国民のご機嫌取りを、天皇がなされていたとは思わない。象徴としての務めとして、なされているものであろう。

2と3の「奴隷制」だの、政治権力、人権、自由が剥奪されている、という点に関しては、たしかに、皇族には選挙権もないし、政治的な言動も自由にはできない。それは天皇や皇族の発言、意見となると、その影響力が大きいから、一部の政治家や官僚に悪用されることを防ぐためである。

天皇が職業選択、住居、言動などの自由がないことから「奴隷制」などという言葉ができたのであろうが、奴隷制とは、本人の意思と関係なく、本人の意思に反する労働を強制される制度である。だが天皇制は、その出自と身分によるもので、無意識の同意はあると考える。4の「道具」として利用される云々も論拠は同じである。

相撲好きだった昭和天皇が記者から、「ごひいきの力士はどなたですか」と問われ、「それは言えません。影響が大きいからです」と答えられたという。そのくらい天皇の影響力は大きいから、それを悪用されないように配慮することは必要だと思う。

憲法には、天皇や皇族の人権は認めない、という文言はひとつも記載されてはいない。別格扱いされているからである。

居住の自由にしても、宮殿はあるし離宮もある。警護の関係で、あちこちに移転されても困る、という事情も考えねばなるまい。

繰り返すが、天皇が国民統合の象徴としての地位を保障してもらうために、日銭を稼ぐように、慰問や慰霊に精進しているという見方も、偏りすぎて、すでに述べたように下司の勘ぐりにしか聞こえない。そんな人気取りのためではなく、象徴としての在り方を真剣に模索された結果、おこなっていることであろうと理解できるのである。

これは、天皇制イコール奴隷制の発言とともに、陛下に対して失礼千万な発言と言わねばならない。

日本人には、「家元」というものに対する敬意の意識がある。その敬意の意識は、古代からの家元的な存在である皇室に向けられて、有史以来、深甚な敬意が払われてきた。

天皇が、それに応える行動を取ることは、日本人にとっては、リベラルで自然なことなのである。それがリベラルな理念の欠如とは思わない。

皇室外交の方向が見えてきた

令和初の国賓と銘打って、19年5月末にアメリカ大統領トランプが来日した。総理・安倍晋三は、気がすすまないトランプをスーパーボールの100倍の重要性がある、などと説得して引っ張ってきて厚遇した。その下心は、トランプが大統領選での目玉として狙っている日米貿易交渉に、手心を加えてもらいたい、という点であろう。

これが、したたかな不動産屋ディーラーの手法を得意とするトランプに通じる可能性は低いと思うが、安倍としては、皇室をも巻き込んで手を打った、という思いであろう。

安倍の接待外交には、どうも妙にへりくだった、もみ手のお追従外交の臭いがつきまとう。とくに、トランプに対してはそうである。その点が気になって仕方ない。

これでは、トランプから見下されるだけでなく、世界各国首脳からも、またまた安倍のお追従外交か、と蔑(さげす)まれる感じがする。

安倍の父、晋太郎も外務大臣経験者だが、彼には「創造する外交」という哲学があった。晋三にはそんなものはないからである。

とにかく、超接待にもかかわらず、トランプの頭のなかは、日米貿易交渉の結果をいかに大統領選の目玉にするか、の思案で一杯のようであった。

そんな安倍の思惑やら、トランプの頭のなかとは関係なく、国賓を迎えた新天皇、皇后のはじめての皇室外交は成功したと思う。何よりも雅子皇后が年来の病気を克服されて、みごとに振るまわれたことで安心した。

トランプの国賓としての来日は、安倍による皇室の政治利用の気配もあったが、天皇、皇后の外交姿勢には、そんな気配は、微塵も感じさせなかったことが評価される。

今後とも、雅子皇后の元外交官としての経験、語学力を活かす形で、新しい皇室外交を模索し展開されることを期待したい。

今上天皇は象徴天皇制をどう考えるか

明仁上皇は、象徴天皇の在り方を求めて心を砕かれ、大変にご苦労されたことは、よく理解できる。

その結果、国民に寄り添い、慰め、励ますこと、戦争の犠牲になった人たちを慰霊することなどに、徹することを決められたのであろう。それは国民の共感を得たと思う。

それを天皇の政治的行為の拡大だ、として批判する向きもあるが、その批判に与（くみ）することはできない。それらの行為が、政治的な影響を及ぼすとは考えられないし、象徴としての天皇の在り方を考えられた上皇ご自身の、衷心からの行動であると思うからである。

ところで、上皇はご高齢で、このような象徴としての天皇の行為を、全身全霊で遂行できない、として19年4月に退位されたが、今上天皇はどんな象徴の形を考えておられるのだろうか。それは、まだわからない。

国民に寄り添う形には、変わりはないであろう。だが、どういう形で寄り添うのか。

災害発生時の、被災者へのお見舞いなどは欠かせないであろうが、戦争犠牲者の慰霊行脚は、すでに明仁上皇が、全面的におやりになられたことでもあり、これを踏襲されることには、ならないのではないか。

しかし、戦争のない平和な世界を、という国民の願いは変わらず、そのためには、平和憲法と国際協調や各国との友好関係は、作り上げていかなければならない、というご認識は変わらないであろう。

これを具体的に、かつ政治行為となることを避けつつ、なされなければならない。けっして簡単な問題ではない。

象徴としての天皇の機能

日本国憲法では、「天皇は、日本国の象徴であり日本国民統合の象徴」である、と規定されている。

象徴の在り方について、明仁上皇は、その天皇在位期間を通じて終始模索され、戦争激戦地への慰霊訪問や、被災地への慰安訪問などに努められてきた。その姿勢は国民に評価され、歓迎された。国民の間に、皇室への敬愛の気持は大きく広がったのである

そもそも、「日本国の象徴であり日本国民統合の象徴」とは何か。

日本人にとっては、天皇は古来から「家元」的な存在として認識され、そのような対応がなされてきたが、その地位をさらに明確にしたのが、「象徴」という定義づけであると考える。

この象徴という意味を、中身がない空箱みたいなものだ、という論者もいるが、筆者はそうは思わない。象徴には正しい意味がある。それは次の3つである。

第一は、国家を代表する資格を有する国家機関、つまり君主ではないこと。

第二は、政治には関与しない存在であること。

第三は、国民の基本的願望を推進する立場を維持し続けること。

このうち、第一と第二については、天皇が何かをしなければならない、ということはない。天皇の地位の属性だからである。

象徴としての天皇の在り方を考えるのは、第三についてである。

「幸せになりたい」というのは、国民というより人間としての共通願望であるから、これを除くとすると、共通の国民的願望は「平和でありたい」であり、戦争がないことであろう。ただ、これは人類の共通願望とは、必ずしも言えない。領土を増やしたい、そのためには戦争も厭わない、という国民もいようし、世界制覇に突き進もう、という国民もいるからである。

ところで、「平和でありたい」という状況の達成のために、天皇が関わるのはむずかしい面がある。天皇には、第二にあげた「政治には関与しない」という制約があるからである。

だが、逆に政治とは無関係だからこそ、やりやすいという面もあるはずである。

天皇は、「平和でありたい」状況の達成への関わりを、世界的にやろうとするのは、制約があって無理だが、日本国内だけならやれると思う。

たとえば、天皇がことあるごとに、平和の持続の大切さ、戦争の悲惨さを訴えるだけでも、国民の平和意識は高まってゆくであろう。それが、世界を動かすことにつながらないとは言えないのである。

第四章
政治の流れは澱む一方なのか

第一節　だらだら長期政権のうそと隠蔽

うそと「空言」だらけの安倍晋三

虚言というとうそということになるが、虚言ではないが、その場逃れの「とりつくろい語」「かわし語」を「空言」と名づけることにする。

総理の安倍晋三は、国会という公の場で、かなりの虚言＝うそを平然と言っている。そのうそについてはあとにまわすとして、まずは、うそよりはいくらかましな、空言からはじめてみよう。

空言がうそでない、というのは、その時点では、うそを言わずになんとかしなければ、という気になっている、という意味であり、本人の主観としては、最初からうそをつく気はなかったのであろう、と思うからである。

けれども、結局は何の処置も行動も取らないで終わってしまうので、結果的にはうそになってしまう。安倍には、この空言が多い。

不適格な閣僚がミスをやると、「すべての責任は、任命権者である私にあります」とは言うけれど、なんらかの形でその責任を果たしたことはない。沖縄の辺野古基地建設の可否を問う住民投票で72%が建設反対の意思を示すと、「その結果を真摯に受けとめ、基地の負担軽減に全力を尽します」とは言うけれども、何もしないから、言ったその日も埋め立て工事は続けられている。

これらがまさしく空言である。

責任があります、と言っても、真摯に受けとめます、と言っても、責任は取らないし、真摯に受けとめた結果、なんらかの行動を起こすことはない。口先だけの空言なのである。

普天間基地問題などは、日本政府がアメリカ政府に対して、ひと言「普天間は代替なしで廃止したい」と言えば、状況はかなり変わってくるはずである。

野党は、こうした安倍の不誠実な態度や国会軽視を攻撃するが、自民党と公明党の与党は、絶対多数の議席を持っていて安定しているから、聞く耳は持たない。馬の耳に念仏で終わってしまうのである。

辺野古に恒久基地を建設する問題で、これ以上、沖縄を苦しめるのはやめにしたいものである。

住民多数の要求に対する為政者の空言は、民主主義を否定する行為である、と言わざるを得ない。


次は安倍のあまりに見え透いたうそである。

「政治家がうそを言ってもよい場合が2つある。ひとつは為替介入の時期であり、いまひとつは衆院の解散時期である」と言ったのは、1970年代後期に総理を務めた福田赳夫である。為替介入は国際金融を左右する大問題だからであろうし、解散時期については、これを明言した段階で内閣は事実上崩壊するからであろう。

こういううそは、あとになれば「そうだったのか」とみんなが納得する。

ここで取り上げる安倍のうそは、そういう政治的に高度なうそではない。あまりにお粗末で、見え透いている。そんなうそが多すぎるのである。

それもうそとわかっても、平気の平左で顔色ひとつ変えずに平然としている。いざとなれば、官僚に忖度させて、公文書の改竄をやらせ、うそを証言させることも厭わない。

これは、与党が絶対多数の議席を擁しているし、官僚は人事権を握って完全に篭絡しているから、野党が多少攻めてきてもびくともしない、という自信があるからであろう。法案は、提出したら通ることは決まっている。いつでも審議打ち切りの動議をだして通過させられるし、内閣不信任案をだされてもいつでもつぶせる。こんな楽な政治はない、とあぐらをかいているのだ。

だから、国会での野党に対する答弁も、無礼千万と思われるくらい、ぞんざいで傲慢、総理の席から品位のないヤジまで飛ばす。まさに、不遜きわまるものになってきている。まるで独裁者のような振る舞いである。

うその例をあげてみよう。

1　自衛隊違憲問題（1）　憲法学者の多くは自衛隊が違憲であると言っている。国家であれば、自衛の権利は自然権として当然のことであり、そのために最低の武力を持つのは当たり前のことである。自衛隊違憲論などは、旧社会党が健在のころの話で、いまは消えている。

2　自衛隊違憲問題（2）　自衛隊員の子どもが、「お父さんの仕事は憲法違反なの」と尋ねる。こんなことがないようにしなければならない。

これは安倍の作り話である。そんなことを子どもに教える先生はいないと思う。

3　森友学園　私や妻が森友学園に少しでも関係していたら総理も議員もやめる。言いも言ったりである。少しの関係どころか、夫人の昭恵は、森友学園にはすっぽりつかっていた。安倍は知らぬ顔の半兵衛で、慌てて文書の書き換えやらうその証言やらで糊塗しようとする官僚たちを、ひそかにかばっている。

4　加計学園の獣医学部　獣医学部を設置することなどはまったく知らなかった。これも言いも言ったりで、むかしからの親友で、ゴルフや会食を度々をやっていた仲で、こんな話がおくびもでなかったとは、常識では理解できない

5　忖度体制　一強をよいことに官僚、自民党議員の大半に忖度体制を敷いている。本人は何知らぬ顔をして、知らぬ存ぜぬで通しているのだ。この厚顔さ。

6　桜を見る会　「桜を見る会」をめぐる一連のうそと隠蔽のどたばた騒ぎ。野党の追及のまえに、少しずつほころびがでてきて、ホテルの領収書がどうのこうのとうそにうそを重ね、最後には、ホテルに圧力をかけたのではないか、とまで言われる始末。政治家の言説にしては、あまりにお粗末である。

これで、憲政史上最長の内閣というのだから、国民はばかにされ切っているのだ。後世になれば、「だらだら最長内閣」などと形容されて、評価は、はなはだ低いものとなろう。

政治家の失言は質の低い本音だ

絶対多数の議席にあぐらをかいているせいもあって、自民党国会議員の緊張感がなくなり、あちらからもこちらからも、質の低い失言が賑やかだ。

それを防ごうと、自民党は、こういう問題の発言にはこの点に気をつけろ、などと指示する発言マニュアルの発行を検討しているという。

自民党議員の失言には、歴史認識、性差別問題、ＬＧＢＴ問題などが多い。

失言が多発するのは、与党の絶対多数議席による「たるみ」現象もあるが、それ以前に失言議員の質が低く、その低い質を剥きだしのまま、本音をだしているのであろう。

失言かどうかを判定するのは、世間の常識である。世間の常識と、失言議員の本音がずれていることは、往々にしてあり得る。失言は、そのずれを露見させてくれる好機でもあると言えるのである。

失言も言っていることは本音なのだ。この本音を隠して、復興だの予算の公正な配分などと言ってみても、本音はそんなことにはないのである。

有権者は、失言によってその議員の考え方や本音、質の程度がわかり、議員としての資質の有無を知り、次の投票の可否を判断する機会になるのである。

自民党が作ろうとしているマニュアルなどは、本音や質の低さを隠すものになるので、そんなものは作らないほうがよい。投票の可否を判断する機会をなくすことになるし、それ以上に、質の低い自民党議員を温存することにもなって、党の質をさらに低下させることにもなる。

議員の質と本音をわからせてくれるのが、失言の効用である。

これをマニュアルを作って覆い隠そうなどということは、しないほうがよい。老婆心ながら自民党に申しあげておく。

4 悪が与党の歪みとたるみを生む

安倍晋三を総理とする内閣は、歴史的な長期政権になるというが、レガシーといえるほどのものは、いまのところ何もない。このままでは、先は長くはないだろうが、これからもレガシーはないであろう。

憲法改定はやれない

内政面では、安保法制、特定秘密保護法、共謀罪法、武器輸出禁止の解除などの、これまでの自民党内閣がやらなかった右傾化政策に手を染め、実現させた。

経済では、アベノミクスの3本の矢のうち、財政支出とじゃぶじゃぶの金融緩和、日銀による株式買い支え、などで円安、株価上昇は実現したが、肝心の産業育成は一向に進んでいない。世界景気の好調に支えられて、景気はなんとか維持し得たが、それも19年4月からは、米中の貿易摩擦で下向きになってきた。

国会は、与党勢力が安定多数で強行採決は当然のこと、野党との審議なぞは時間の無駄だ、と言わんばかりで、法案はすべて成立する。しかし、安倍が一番やりたかったであろう憲法改定は、まだやれていないし、今後もやれないであろう。それだけは、不幸中の幸いと言わねばならない。

外交面では、北方4島問題、北朝鮮による拉致問題はまったく進展しないまま、韓国との間では、国家間では解決ずみの慰安婦問題、徴用工問題がしつこく蒸し返され、先行きが見えなくなっている。

こういう状況であるが、安倍は、国会での与党の絶対多数と、高級官僚任命権の官邸掌握をバックにした、安倍一強体制にあぐらをかいている。

安倍は、官僚、政治家の間に暗黙の「忖度体制」を築き、森友学園、加計学園問題など、親近者優遇の政治を敢行したり、国会質疑でも平然とうそをつき通し、野党の追及には厚顔、傲岸、ごまかしの答弁で押し切ることをやっているのだ。

そのかたわらで、複数の若手議員が、セクハラや不倫をやったり、収賄や露骨な選挙違反をおこなう、というていたらくである。

これが自公政権の4悪だ

このようなたるみがなぜ起こるのか、その原因は4つあると思う。

第一は、国会での自民党と公明党の与党絶対多数である。与党の議席数が2分の1を多少上まわる程度であれば、与党といえども、緊張感を持って臨まねばならず、審議も真剣になる。だが、与党が絶対多数であれば、国会は数ですべてが決まるから怖いものは何もないことになる。これがたるみの第一原因である。

第二は、世論の内閣支持率である。政治がこんなにたるんでいても、内閣支持率は40％前後もあるのは、不思議千万である。安倍内閣は、それをよいことにしているのだ。景気はまあまあだから、これでもよいのではないか、という感覚しか持たない国民が多いからであろうか。こんな程度の国民だから、こんな低度の政府でも文句はないのだろうか。

第三は、自民党内からも異論がでないことである。

自民党は、多様な党であるから、党内に異論がないことはないはずだが、表にはでてこない。それは小選挙区制で党内派閥が弱化したことと、選挙での公認権が党中枢に集中されてしまっているからである。官邸を少しでも批判すれば、ただちに非公認になるのである。これが、党内に目に見えない歪みを生じさせている。

第四は、高級官僚の任命権を内閣府の人事局においたことである。官邸が全省庁の局長、部長クラスの人事を握ったのである。これで、出世と天下りに目をきょろきょろさせている高級官僚たちに、政権への忖度意識と行動を植えつけたのである。

以上の4つが、政治の歪みとたるみの原因であり、日本の民主主義をダメにする方向へと進んでいるのである。これを4悪と呼んでおく。

統計調査不正の監査委にも忖度が浸透

厚労省は、毎月の勤労統計調査で、2000万人におよぶ雇用保険や労災保険の給付額を、何年にもわたって過少に算定するという問題を引き起こした。

15年9月、当時の総理秘書官であった中江元哉（現・財務省関税局長）が、厚労省の幹部に面会を求め、調査方法の変更を促したのがきっかけになったという。アベノミクスが成果をあげている、という数字をだすためだったことは明らかであろう。

厚労省は、その事実を隠蔽しようとした。だが、野党の追及を受けて、急遽、厚労省の身内同様の樋口美雄を委員長に特別監査委員会を設置した。監査委員会は、わずか1週間足らずで結論をだしたが、詭弁を弄して隠蔽とは認めなかった。

この問題を惹起したプロセスの各責任者は、口をそろえて「記憶にない」と言うばかり。しかし、その不正に気がついたという何代目かの担当課長も、上司に報告せず、それを統括する統計委員会にも、「きちんとやっています」とうその報告をしている始末である。

それを特別監査委員会は、事実を隠そうとした行為に積極性はない、などという理屈にならない理屈をこじつけたが、こういうのを屁理屈という。アベノミクスに有利なデータを報告したいという、組織的な安倍忖度の風潮に流された結果である、と断定せざるを得ない。

特別監査委員会は、統計というものの意味を重視していない関係者の認識の欠如によるもので、隠蔽はその結果にすぎないとも述べて、逃げている。

しかし、それも見え透いた窮余の屁理屈で、以心伝心的な対安倍への忖度がここまで浸透してしまっているのだ。

どうも、日本政府や行政の現状は、民主主義の悪の面だけが、露呈し切っているように思われる。

安倍の年金フェイク反応

「金融庁は大ばか者だ、こんなことを書いて」と、安倍晋三は激怒したという。

金融庁の審議会が、定年退職後の生活資金は2000万円必要、という報告書を提出したことについて、安倍は怒り心頭になった。審議会に査問した財務相の麻生太郎は、当初は報告書に理解を示していたが、安倍の怒りを知ると自ら諮問しておきながら、報告書の受け取りを拒否した。

報告書は、毎月の生活費についても、年金だけでは「毎月の赤字額は約5万円」と書いている。これに対しても安倍は「あたかも老後の生活費が月5万円足りないというのは、国民に誤解と不安を与える。実態はさまざまで平均値の乱暴な議論は不適切である」とも怒った。

参院選の投票を間近にひかえた19年6月のことであった。

金融庁は、これだけではなく最大3000万円は必要、とも言っているのだ。また、経産省はこの年の4月に、同省の産業構造審議会に、老後に必要な蓄えは2895万円と示している。

これは、ほとんどの国民が、実感として感じていることではないか。年金を受給している人はもちろん、定年を間近に控えている人々は、みんな知っていることなのだ。毎月の必要生活資金額と、受給できる年金額を比較するだけの引き算だから、だれもまちがえるわけがない。それを政府が、なんだかんだと言って、取り繕おうとしても無駄である。

人生100年時代には、旅行はしなくても、病気入院や地震や洪水などの災害に遭った場合の復旧費用などを考えれば、必要資金としては3000万円でも足りない、4000万円くらいないと、安心はできないであろう。

それを平均的に判断することは、まちがいとは言えない。それしかないのである。

安倍が怒ったのは、参院選を控えて、与党にとって不利なそんなことを言う奴は、与党に忖度すべき官僚としてはけしからん、馬鹿野郎だ、ということなのである。その腹のうちはわかるが、ごまかしのきく問題ではない。ごまかそうとすれば、国民の不信を募らせるだけである。

政府は、正直にこう言うべきであった。

「その通りです。だが、少子高齢化で現役就労者の負担も増やせない状況です。だから、年金は老後の生活費を不十分ながら支援する程度のものと考えていただき、不足分は、勤労の継続や奥さんの働きで、カバーしていただくことになります。政府は、その支援には全力をあげますから、どうかご了承願います」

これには、国民は納得せざるを得ないはずである。政府が全部まかなうかのような誤解を与えることは禁物である。

そういうフェィクは、はじめからばれているのだから。

かぎりなく「いぎたなく」かつ「さもしく」

自民党総裁の安倍晋三が、同じ日に2度も、立憲民主党を民主党と言いちがえた。19年7月の参院選公示後の街頭演説においてである。

安倍は「党名がくるくる変わるから」と言いわけしていたが、認知症にでもならないかぎり、野党第1党の党名を与党党首が、2度もまちがえるわけがない。この選挙では、「民主党」と書いたら国民民主党の票になった。立憲民主党を民主党と呼んで、野党への投票を国民民主党にゆかせることを狙った故意の発言であろう、と憶測されるような行為であった。「言いまちがえた」のではなく、「言いちがえた」のである。

安倍は、ハンセン病にからむ、家庭生活崩壊の損害を償うことを命じた第一審の熊本地裁判決に対して、控訴しないという判断をした。きわめて異例な措置であった。これも参院選投票の直前のことで、参院選を前にした安倍のパフォーマンスであった。

この2つの事実を見ても、いかにも安倍がやりそうな、いぎたなく、そしてさもしいやり方だと見られている。

安倍政権は。19年11月20日で、戦前の総理・桂太郎を抜いて歴代最長の長期政権となった。その間の実績は、日銀と結託しての円安と株高だけで、むしろ、安保関連法など一連の右傾化法や、森友学園、加計学園問題などの親近者優遇の不公正案件や、忖度体制の構築などの疑念ばかりがめだつのである。

こんな安倍政権が、長命を続けられるのは、官邸への権力集中体制の構築に成功したからである。安倍は、祖父・岸信介の悲願であった憲法改正を掲げて、政権維持を計るであろうが、世界遺産にも匹敵する平和憲法だけは、触らせないようにしなければなるまい。

それは、平和を愛する日本国民の悲願であるから。

阿呆な話3題

ここでは、19年に起った阿呆な話として、3つの事件をあげてみた。

ゴーンに食い物にされた日産のだらしなさ

日産自動車の会長であったカルロス・ゴーンが逮捕されて、会社のカネを湯水のごとく私物化していた事実と悪事が、つぎつぎに暴露された。結局、4回も逮捕を繰り返され、いったんは仮釈放された。

ゴーンは、一時は日産の業績をV字回復させた功労者である、とされていた。それは事実である。ただその経営手法は、コストカッターといわれた通りで、不採算部門を切り捨て、多数の社員を情け容赦なくリストラするものだった。

ゴーン自身は、日産は自分が立て直したのだからと、自分のもののように思って私物化していたのであろう。しかし、私物化したカネを複数の会社を経由させたりして、資金洗浄のようなことをやっていたから、自分が悪事を働いている、という認識はあったのであろう。

ゴーンが日産にとって、大功労者であることはたしかである。だからといって、独裁的な権限を与えすぎて、何十億ものカネを私的に流用されるなど、食い物にされることはなかろう。ゴーンは相当な悪党だが、それを野放しにした日産の幹部のだらしなさにも、責任の一端はあるのである。

そのゴーンは、年末ぎりぎりに巨大な楽器箱に隠れて、関西空港からプライベートジェット機でトルコ経由レバノンに逃走した。阿呆な話に色をつけてくれたのであった。

国交副大臣・塚田一郎のお粗末な忖度

山口と福岡を結ぶ「下関北九州道路」の事業化をめぐり、山口は総理の安倍晋三、福岡は副総理の麻生太郎の地元だから、として「総理とか副総理がそんなこと言えません。わたしが忖度して国直轄の調査に引き上げた」

19年4月、福岡知事選の自民党系候補の集会でこうぶち上げたのは、当時、国土交通副大臣だった自民党参院議員の塚田一郎である。やっと副大臣にありつけたので、自分がいかにトップに忠実で、気の利く人物であるかをアピールしたかったのであろう。

これに対して、野党からの国政を歪めるものだとの厳しい追及があり、答弁に窮して「事実と異なる」として発言を取り消した。だが、与党からもこれはおかしいとの声が上がり、ついに辞職した。

安倍が、官僚や自民党に「忖度体制」を敷いているとの批判が強まり、忖度問題が国会で追及されているさなかに、こういう阿呆なことを口走る議員がいたのである。呆れ果てる事実である。

「事実と異なる」などと慌てふためいた弁解も、発言は事実なのだから通るわけがないのだ。阿呆さ加減にもほどがある。

あまりの阿呆さ加減に、選挙民も呆れたのか、19年7月の参院選では、野党系の新人に敗れて議員の地位を失った。

実の娘を強制性交して無罪という阿呆な判決

14年に愛知県で、虐待によって抵抗できなくなっていた19歳の実の娘と性交した、として、父親が強制性交の罪に問われた事件で、19年3月、名古屋地裁岡崎支部は、無罪の判決を言い渡した。求刑は懲役10年だった。

判決理由は、性的虐待があったことは認めたうえで、意に反する性交に抵抗する意思や意欲を奪われる状態になかったし、暴力を拒めない状態でもなかった、というものであった。ことの前に、虐待や暴行があれば、抵抗できない状態にされていたことは、推定できると思う。これは明らかな不当判決である。

日本の刑法には、近親相姦罪というものはないが、この判決は近親相姦を公認するようなもので、阿呆きわまる判決である。

検察側は当然控訴するであろうが、控訴審では有罪になることを期待したい。

（この裁判の控訴審は20年3月12日、名古屋高裁＝裁判長・堀内満＝で判決があり、名古屋地裁岡崎支部の無罪判決を破棄し、父親に求刑通りの懲役10年を言い渡した。判決では「実の娘を性欲のはけ口としてもてあそんだ卑劣な犯行」と述べている。その後、父親は最高裁に上告した）

第二節　吟味すべき課題のいくつか

9条は世界の規範にすべきだ

安倍晋三は、自分が総理でいる間に憲法を改正したいと、ことあるたびに言う。祖父・岸信介の悲願であったからでもあるし、トランプの要請で、いままでは同盟国アメリカに一方的に守られている形の日本の防衛体制を、もっと双務性を高めたものにしよう、という思いからでもあろう。

しかし、日本がアメリカに守られている、というのは虚構であるし、他国からの侵略に対して、国連による国際社会の介入で対応できる、と考えるのも虚構である。

日本が75年にわたって、一兵も失わず、一兵も殺さずに平和を保ってこられたのは、憲法9条があったからである。もし9条がなかったならば、ベトナム戦争にも湾岸戦争にも、アフガニスタン戦争、イラク戦争にも駆りだされたはずである。

それを、アメリカの核の傘の下にいたから、とするのはこじつけもはなはだしい。

安倍は、自衛隊員が、子どもから「お父さんの仕事は憲法違反なの」と聞かれるようなことをなくすためにも、憲法改正が必要である、と言ったりするが、前にも述べたが、これは安倍特有の作り話である。

国際的にも、国家の自衛権は自然権として認められている。その自衛権を担うのが自衛隊員であるから、それは憲法以前の国家の権利に基づく立派な任務である。

昨今では、武器の著しい進歩とその使用時の影響力の巨大化、そのうえ、戦域もサイバーから宇宙へと拡大していることなどから、テロ戦争や局地的な小競り合いを除いては、戦争ができない世界になりつつあるのである。

そのような環境下にある今日、日本国憲法の第9条は、世界各国の将来の憲法の模範、標準として、尊重されねばならないものと考えるべきである。

断じてこれに、手を加えるべきではない。

解釈改憲を防ぐために

「解釈改憲」とは、ときの政権が、違憲の疑いがある政策を実施するために、憲法の条文を恣意的に解釈することである。本来は違憲性の疑いが濃い法令を解釈によって合憲の形にすることである。

これは実質的な憲法違反行為である。

集団自衛権行使容認は最悪の解釈改憲

ひとつの憲法が、なんの変更も加えられないで持続される期間は、平均して17年であるといわれている。それに比して、現在の日本国憲法は、1946年に制定以来、74年も持続されている。これは世界史上最長記録である。この間にドイツ憲法は、66回も改定されているというが、これは、日本ならふつうの法律で規定するような細かいことまでが、憲法で規定されているからである。

日本では憲法改定に代わって、解釈改憲が何度かおこなわれている。そのなかでも、もっとも問題になったのは、15年に一定の条件の下での、集団的自衛権の行使が容認されたことであった。

憲法が改定されなかった4つの理由

現行の憲法が74年もの間、改定されなかった主な理由は4つある。

第一は、世界に例がない戦争放棄を謳った現行の平和憲法に、国民が賛意を示して、これを変えることに反対する意見が多いからである。これは、太平洋戦争で軍国主義日本が、国民に莫大な犠牲と損害を与えたため、国民が平和こそ日本が生きる道だ、と心底信じているからである。

第二は、日本の憲法の規定が簡潔で、概念規定的なものが多く、世のなかが変わっても、その都度、変える必要がなかったことである。

第三は、日本の裁判所は、憲法審査権を持ってはいるが、憲法審査には消極的で、違憲の疑いがあっても、そのまま放任されてしまうことが多いからである。

第四は、日本の憲法は硬性憲法だから、改定するためには、その発議に衆参とも総国会議員の3分の2以上の賛成を必要とし、その発議が通って、さらに国民投票で過半数の賛成を必要とする、という条件があり、これをクリアすることが大変だからである。

この4つのハードルのうち、もっとも高いのは第一の平和憲法であろう。

だから、自民党右派は解釈改憲で逃げようとするのだが、このままでは、政権による恣意的な解釈改憲が機会をみては企てられるであろう。

これを防ぐためには、平和憲法の真意を歪めないように、裁判所の憲法審査権の行使を盛んにする必要がある。同時に判事が、政権の思惑に忖度しないですむような、人事制度の見直しも必要であろう。

「国民感情」は政権の押しつけ用語

近ごろ、「国民感情」という言葉がよく使われる。これはときの政権が好んで使う言葉である。

国民の願いには、万国共通で時代を超えたものと、そのときどきで変化するものがある。

だが、税金を安くする、景気をよくする、失業をなくす、などはどの国民にも共通で、また、いつの時代にも国民が持っている感情である。これらは当たり前のことだから、国民感情とは言わない。

しかし、選択肢のある政策案件で、いずれが適切であるか、議論が起こるような事案については、ときの政権が選ぶ政策や考え方を、国民感情だという言い方で、国民に押しつけようとする場合が少なくない。

たとえば、イギリスのＥＵ離脱の問題、日本では「あいちトリエンナーレ」で韓国の少女像の展示の問題などがある。トランプの言うアメリカ・ファーストもそうだ。

これらの問題は、いずれもプラス、マイナスがある。だから、個々人のおかれている立場や職業によって、損得判断の基準が異なってくるのである。

イギリスのＥＵ離脱では、移民の流入が抑えられるのはプラスであっても、関税の復活や輸入品価格の高騰、外資工場の撤退による失業者増加などのマイナス面もある。それらの影響を受ける度合いによって、判断のちがいがでるのは当然である。

論理的には、長期短期の両方の観点から、いずれがプラスかを判断すべきだろうが、実際には、ときの政権の思惑によって決められ、それを国民感情という形容詞をつけて強行しようとするのである。

その意味で、国民感情とは、ときの政権が選択した方向を国民に押しつけるための用語であると、言わざるを得ないのである。

国民投票の結果で決まった場合は別である。

小選挙区制は功なくして罪ばかり

小選挙区制は、1994年1月、細川護熙を総理とする非自民の8党会派による連立内閣の下で制定された。

弊害ばかりめだつ

その狙いは、自民党による長期政権の弊害をなくすために、選挙制度を変えることで、政権交代をやりやすくすることにあった。

従来からの、1選挙区の定員3～5名の中選挙区制を改め、定員1名の小選挙区（定数

295名）と、全国を11のブロックに分けた比例区（定数180名）の小選挙区比例代表並立制を導入したのである（その後、小選挙区289名、比例区176名に変更）。

この選挙制度変更から15年後の09年8月の総選挙では、民主党が308議席を獲得して圧勝、民主党政権が誕生した。これで、選挙制度改革の成果があったように思われたが、民主党政権は3年で倒れた。そのあとは、自民党と公明党の連立による安倍政権がつづき、その弊害ばかりがめだつようになった。

4つの弊害がある

小選挙区制の弊害をあげてみると4つある。

第一は、自民党の体質が変わったことである。

中選挙区の時代には、1選挙区の議員定数が複数であったから、自民党からは複数の候補者が立候補した。複数の派閥がそれぞれ候補者を立てて競合したのである。自民党の派閥は、それぞれ少しずつ異なる政見を主張し合ったから、党内でも異なる政見を叩き合わせることになり、それが民主主義にプラスに作用したのである。

ところが小選挙区制になって、候補者は1選挙区に1人しか立たてられなくなり、派閥の力が急激に弱化した。その結果、党側からの内閣への発言や注文がなくなってしまったのである。つまり、党は内閣の手駒となって、政党としての機能が弱化してしまったのである。

第二に、内閣の機能が強化されたことである。

官邸を押さえる党中枢が、候補者の公認権を独占的に持つ結果、党側は、官邸の意見に、逆らえなくなってしまったのである。それは官邸の力、ひいてはその筆頭である総理の一強体制が、でき上がる結果を招くことになったのである。

与党で絶対多数の議席を擁していれば、何も怖くはない。総理の私的な都合で政策を曲げようとも、平気の平左でいられるのである。派閥が強くて党内運営に機能していれば、そんなことは許されないはずである。

第三に、自民党の世襲議員が増えたことである。

1人区だから、当選か落選かで100%か0%になる。当選率を高めるためには、既存の一定の支持層が存在する、世襲候補を立てることが有利である。

その結果、自民党議員のなかの、三親等以内の世襲議員の比率は、38・5%にものぼっている。世襲の多くは能力的に落ちるから、党の質も徐々に低下し、政策の刷新も起こらない。一強の維持継続にもつながるのである。

第四は、政治の質の低下につながっていることである。

絶対多数の安定政権が続いているため、議員は与党の座にあぐらをかいて、緊張感を欠き、勉強もせずに、勝手なことばかりやっている結果、質の低下を招く結果にもなる。

質の低い議員でも連続当選すれば、当選回数でそろそろ大臣に、となるから、資質もないのに大臣に任命される。野党の質問に対して、官僚の書いた原稿を棒読みしたり、答えに窮したり、まちがったりするなど、みっともないことにもなるのだ。それでも、総理は「任命責任は私にあります」と言いさえすれば、何もしなくてもすむのである。

そろそろ、中選挙区に戻す必要があろう。

野党は骨太の政策で自民党に対決せよ

かつて、保守党が統合された50年体制の時期には、有権者の支持は、自民党と当時の社会党に6対4くらいの比率で分断されていた。

その後、自民党政権が長く続くなかで、自民党は社会党の社会福祉政策を横取りし、健康保険や国民年金、介護保険を推進するようになり、社会福祉の面では、政党によるちがいは、非常に少なくなった。

政策に特許があるわけではないから、どんな政策を取ろうとも自由であり、政策の横取りなどということは、現象としてはあっても、政治的な批判の対象とはならない。

日本では、保守政権が長く続いているが、アメリカからは、日本は社会主義国だ、と言われているほどに、自民党は社会福祉政策に力を入れてきた。

そのため、現在の野党の自民党政権に対する批判は、政策的な面は少なくなっているのではないか。

現在の野党は、もっぱら安倍のアメリカ追従政策や、絶対多数の議席にあぐらをかいた不誠実で傲慢な言動や虚偽と隠蔽体質、当選回数だけで任命される能なし閣僚、たるみきった自民党議員の不適切言動を批判するだけになっていないか。むろん、それを批判することは必要なことなのだが。

かつてのような、政策上での敵と見方の区切りが、はっきりしなくなったのである。

日本国民は保守性が強いから、こんな状態なら、いまのままでもよいではないか、ということで、自民党支持が持続されることにもなるのである。それが、安倍一強を招く要因ではないか。これは安倍独裁、安倍暴走、アメリカ追従の促進にもつながるのである。

これに対抗するためには、野党が、自民党に横取りされないような独自の政策を打ちだして、国民に大きく問う必要があるのではないか、そして、政局の一変を図らなければならない。

そのポイントは、極東諸国との平和安全保障条約の締結などによる極東の安定化、極端な富の偏在の是正、少子化問題、移民問題に対する抜本政策、国家予算の徹底見直し、対アメリカ従属外交の抜本見直しなどの骨太な政策であろう。

元号の効用

平成の元号も19年4月で終わりになった。

明仁天皇が、ご高齢となり、象徴天皇としての行為を全身全霊で遂行できない、との理由で退位されて上皇となり、新しい徳仁天皇が即位されたからである。

象徴天皇の役割を摂政という形で代行させることは、努めを果たせぬまま天皇であり続けることで、天皇の役割を果たしたことにはならない、というのが、上皇のお考えなのである。それは上皇の哲学として認めねばなるまい。

ところで、天皇の代ごとに制定される元号に対する反対の意見もある。たとえば、平成最後の31年に、40年ローンを組むとその終期は平成71年というあり得ない年になる。それではまずいのではないか、という。西暦にすれば、２０５９年であるから、そのほうがよいとはいえる。しかし、このような意見は、いちゃもんつけのような理屈で、現実にはそんなことはあり得ない。

元号には、時代区分がはっきりしてよい、という面がある。

明治は、文明開化と富国強兵の軍国化スタートの時代、大正は、大正デモクラシーの時代、昭和は、軍国主義の過熱化と悲劇的終焉から、復興してＧＤＰ世界2位にまで成長させた時代、平成は、中国がアメリカに追いつきそうな大国になり、ますます西に向かって覇権の手を伸ばし、また北朝鮮が核保有国となるなど、極東の政治的な不安定化が進んだ時代、というように、時代区分がすっきりするのである。

これを西暦で区切るのは、ややこしいのだ。

元号のこういう効用も大切である。その意味で、西暦を主として使うとしても、適宜、元号を併用すべきであると考える。

不可思議な20代の政治意識

最近の新聞に、20代の若者は与党支持が70％以上と報じられた。投票にさえ行かない若者が多いのは、よく知られているが、政党支持が与党寄りなのである。

若者が、トランプにへっぴり腰で、その手下であるかのように接する安倍晋三の自民党を支持する。これは、不思議千万としか言いようがない。

もともと、ふつうの若者は、総じて反体制反保守で、それも先鋭的なのが通り相場であった。共産主義のキの字でも言えば、たちまち警察に睨まれた戦時中でも、若者は隠れて共産主義の本を読んだりしたものであった。いまは、ちがうのだ。

近ごろ、草食系男子とかいう言葉が使われるが、政治面でも草食になってしまったのだろうか。そんなヘロヘロの若者ばかりでは、日本の将来は、はなはだ危惧されるものとなるのではないか。政治も世のなかも、いまのままでよいと思っているとしたら、いずれ自滅することになりはしないか。

かつて、２０００年に総理に就任した森喜朗が、同年６月の総選挙の際に「若者が選挙に行かないで家で眠っててくれれば、ありがたいのだが」と口走って、もの笑いになったことがあった。若者の多くが反体制で、選挙では自民党には投票しない、と見ての発言であった。若者の反政府的姿勢が、選挙結果に反映するのを畏れたのである。

それから20年経過したが、いまの若者には、そんな気配はまったくなくなってしまったようだ。

少子高齢化で人口が減り、人手不足が深刻化、世代間支援の年金制度も危なくなる一方、長寿化にともなう老後の生計資金の最低限度２０００万円の貯蓄も無理、などの難題が山積している。そんななかで、政治は自民党まかせでよいというのは、思索放棄とでも言うほかはない。

この著で縷々述べているような将来のリスクを、もっともまともに食らうのは、いまの若者世代である。そのことを知っているのか、知らないのか。

若者たちよ、もっと政治的になれ、政治にしゃきっと向き合え。

第五章
世界の一端にも触れてみる

第一節　核と戦争の廃絶そして地球を護る

ＰＴＳＤに見る戦争の恐怖

だれしもが、戦争は嫌だという。戦争が多大な人命、資産の犠牲をともなうからだが、それだけではない。

もうひとつ、ＰＴＳＤという大きな損害があるのだ。ＰＴＳＤとは、Post-Traumatic Stress Disorder の略で、日本語では、「心的外傷後ストレス障害」と名づけられている。強烈で破壊的なストレス性のできごとを体験すると、実際の体験から時間が経過したのちになっても、フラッシュバックや悪夢によって異常な驚愕反応を示したり、その場に戻ったかのような侵入的想起、あるいは再体験をしたりする。刺激的な回想、否定的な気分、怒りっぽさや不眠などの症状が持続する状態をいう。

この症状は、戦争の際に前線で戦った兵士には、むかしからあったと思うが、それが顕著になったのは、米軍のイラク侵攻からであった。

イラク戦争では、正規のイラク軍は早々と敗北したため、その後はテロ戦争が主となった。テロは、軍人と民間人とを区別できないため、米軍の兵士は、人をみればテロリストと思えとなって、常に緊張していなければならず、その精神的苦痛は大変なものであったと思う。それればかりでなく、爆弾がどこに仕掛けられ、いつ爆発するかわからない、という恐怖もあった。

このような超過酷な場にいたら、だれでもPTSDになっても不思議はないのだ。事実PTSDの罹患者は、戦争に駆り出された兵士のうち60万人を越えるといわれている。だから、イラク戦争経験者は、帰国してから多くが、PTSDに悩まされた。恋人の真ん前でピストル自殺したり、夜中に夢をみて飛び起きて、銃を乱射したりする者が続出したという。

しかも、これらのPTSD患者を収容する病院は、帰国患者の数に比して圧倒的に不足し、長期の順番待ちを余儀なくされる状況だったという。これは、本来は働き盛りの若者を病人にせざるを得ないという、社会的な大損害でもあったのだ。

いうまでもなく、その家族にとっても大きな痛手である。

戦争を命令する人間は、いつも安全な場所にいるが、痛めつけられるのは、最前線の兵士とその家族なのだ。為政者よ、戦争のない世のなかにしてもらいたい。

核廃絶への日本の役割

日本は唯一の被爆国であるにもかかわらず、国連で毎年おこなわれる核兵器禁止条約の批准を求める決議には棄権、条約への署名もしていない。

この条約は、17年7月の国連で122カ国の賛成で採択され（日本は参加せず）、現在までに81カ国が署名し、35カ国が批准している。

政府は、核保有国と非保有国との、橋渡しの役割に徹するためだ、と理由づけしているが、本音はアメリカの核の傘の下に守られているから、条約に賛成するのは筋が通らないということであろう。

しかし、これはおかしい。日本はアメリカと軍事同盟を結んでいるから、必然的に、アメリカの核の傘の下に入る形になっているにすぎない。

日本は、「核兵器を持たず、作らず、持ち込ませず」の非核三原則を国是としている国だから、本来的に核兵器廃絶を唱えるべきなのである。核兵器禁止条約に参加せず、署名せず、批准もしないのは、この国是に反するばかりでなく、世界に対して核兵器の使用を容認するのか、との誤解を与えることになる。

日本が本当にやるべきことは、核兵器を全廃させ、いっさいの核開発をストップさせることしかあるまい。

アメリカの前大統領オバマが、プラハでの「核なき世界を」の演説のなかで、自分の存命中にはむずかしいかも知れない、と述べた通り、これは一朝一夕にはゆかないであろう。だが、日本としては、せめて開始の年限を決めて、核兵器廃絶の話し合いを始める取り決めをする努力くらいはすべきであろう。

そうしないと、橋渡しの役割などと言っても、逃げ口上としか思われないであろう。

核保有国に「原爆の日」制定を

8月6日と9日は「原爆の日」として、広島と長崎で、原爆の悲惨さを風化させず、後世に語り継ぐ式典がおこなわれ、総理大臣も出席して式辞を述べる。

これは唯一の被爆国として、原爆の恐ろしさを世界に訴える機会になるとは思うが、核兵器禁止への歩みが加速されるわけではない。

原爆の被害者やその子孫は、その怖さを忘れようがないが、大切なのは、原爆投下を強行した加害国や、核兵器使用の可能性がある核兵器保有国の、核兵器に対する意識である。これらの国が、核兵器についての意識が希薄であれば、風化しようのない被爆国だけが、風化防止の行事をやっても不十分である。

聞くところによると、アメリカ人の多くは、「原爆の使用によって、第二次大戦を早く終わらせ、被害者数を減らせたのはよかった。原爆使用はその意味では正当であった」と考えているという。

このような、原爆投下正当論とでも言うべき論理が、まかり通ることになるのは、倫理的にも許されるべきではない。原爆投下による超甚大な被害に目をつむって、その正当性を保障することになりかねないのだ。これは、きわめて危険な考え方である。

核兵器禁止に関する世界の兆候は、トランプが、アメリカとロシア（ソ連）間で結ばれていた中距離核戦力全廃条約（ＩＮＦ）から離脱することを表明し、19年2月にロシアに通告され、同年8月には失効した。

このため、核兵器のない世界を望んでいる国際的な世論に逆行して、新たな核兵器開発競争に突入することが、懸念されるようになってきている。

このような、核兵器禁止に逆行する考え方を打破するためにも、核保有国にも「原爆の日」を設けるべきではないか。それが無理なら、せめて核兵器保有国の首脳全員に、広島、長崎の原爆記念館を見学させることが必要だ。

国連が先頭に立って、そのことを提起し、国際的な世論を形成すべく、尽力すべきではないか。

ローマ教皇の核廃絶メッセージが意味するもの

19年11月、38年ぶりにローマ・カトリック教会のフランシスコ教皇が来日されて長崎、広島を訪問、その地で世界に向けて核廃絶のメッセージを述べられた。

このところ、核兵器に対する警戒心がゆるみっぱなしである。トランプは、ロシアとの中距離核戦力全廃条約（ＩＮＦ）から一方的に離脱を表明し、すでに条約は失効した。さらに核兵器の使用を容易にするために、使いやすい低能力の核兵器開発を推進している。中国とロシアも、これに対抗する動きを示しているのである。

唯一の核兵器被爆国である日本は、アメリカの核の傘の下にあるという理由で、国連の核兵器禁止条約には参加せず、その批准を求める決議にも棄権するていたらくである。

このような状況下での、フランシスコ教皇の長崎、広島訪問と核廃絶メッセージの発表は、大変に意義深い。そのメッセージのなかの次の主張は、もっとも至極である。

・核兵器は安全保障への脅威から、われわれを守ってくれるものではない。
・核兵器の使用はもちろん、その保有も倫理に反するものである。
・軍備拡張競争は資源の無駄使いである。
・武器の開発はテロ行為である。

このメッセージのなかで、教皇は「神」という言葉を1回も使っていない。

つまり、核兵器廃絶は、あくまで叡智と決断の問題であり、人間は相互依存と、信頼、互助の在り方を認識して、核兵器廃絶に邁進すべきだ、と言いたかったのであろう。

まさしくその通りである。

生命が存在する唯一の惑星地球を護る

太陽系以外で、地球に似た惑星の探求が盛んにおこなわれている。

アメリカのＮＡＳＡ（アメリカ航空宇宙局）は、無人惑星探査機ケプラーを打ち上げて、太陽系以外の地球型惑星を探査している。

生命が存在する惑星は地球だけ？

そうして発見された惑星のなかの、いくつかについては、生命の存在が期待されていた。それらの惑星には、水の存在が推定されていたからだ。従来は、水が存在すれば生命の存在が有望とされてきた。ところが、最近になって、それだけでは不十分である、と言われるようになった。生命が恒星からの、放射線や紫外線などの条件によって、左右されることが、わかってきたのである。

生命が存在し得る公転軌道の範囲を、ハビタブルゾーン（生命居住可能領域）というが、地球から111光年離れている惑星「Ｋ２－18ｂ」は、ハビタブルゾーンであることがわかっている。しかし、水の存在という条件は備わっているが、生命の存在には向かないとする説がある。それは、この惑星の軌道の中心にある恒星が放つ放射線や紫外線、恒星が起こすフレア（爆発現象）が強力になった場合、その影響で生命が存続できないだろう、というのである。

現在、ハビタブルゾーンにあると推定される惑星は、12個が観測されているが、これらの惑星はいずれもが、この条件に当てはまり、生命は存続できない可能性が高いというのである。

こういう事実を知ると、宇宙には地球と同じ仲間はいないのかと、寂しい思いがする。そうなれば、生命が存在する唯一のこの地球を、大切にするより仕方がない。

その地球が危ない

大切にしなければならない地球だが、それが危ないのである。

原因は、人間の経済活動によって放出される二酸化炭素の増加である。それによって地球全体の気温が上昇し、異常気象が常態化して、年々ひどくなってきているのである。19年の時点で発生したそのいくつかの具体例を、箇条書きであげてみよう。

・スペインで高温による大山火事が発生。
・メキシコでは雹(ひょう)が降り1メートルも積もった。
・フランス南部のガラルグルモンテでは6月下旬に最高気温45・6度を記録した。
・南極の氷が急速に溶けている。

・アメリカのミシシッピ川流域では1993年以来、未曾有の洪水が起こっている。
・アメリカ北西部のシアトルでは、熱波による山火事の煙で1カ月以上悩まされた。
・オーストラリアでは高温つづきのため、多方面で山火事が発生、コアラなどの希少動物が犠牲になっている。

日本でもこのところ、毎年夏は高温に悩まされ、熱中症患者が続出しているが、このような異常気象の日常化は、世界全体で起こっているのだ。

状況を改善する有効な手は、いのままのところない。今後、開発途上国の経済発展にともない、この状態がますます深刻化することは明白である。

この宇宙に、1個しかない生命惑星である地球を、なんとしても護らねばならない。これこそが、人類に課された最大の使命である。

第二節　それぞれの国の不協和音

台湾人と韓国人の対日感情のちがい

台湾人と韓国人とでは、日本人に対する態度に大きな差がある。これは現地に行ってみると、はっきりわかる。台湾人が日本人に対して友好的であるのに対して、韓国人はどちらかというと、よそよそしいのだ。

台湾に行ったのは20年も前のことだが、当時は、日本統治時代に日本語教育を受けて日本語がわかる台湾人がかなりいた。彼らは、町中でも気軽に話しかけてきたものである。

韓国人も、同じように日本統治時代に日本語教育を受けていたはずだが、そういう気さくな韓国人は、まずいなかった。日本語は話せても知らないふりをするし、なんとなくよそよそしい。街の看板はハングルばかりで、漢字はまったく使われていないから、目がかゆくなってくる。

その点、台湾では、旧漢字だが漢字が使われていて、看板もわかるし新聞も理解できるから、親しみも湧くのである。

こんな話もある。敗戦後、現地の日本人が帰国する際、台湾人は基隆港で日本の国旗の小旗を振って見送ってくれたが、韓国人は石を投げつけてきた、というのである。

そのちがいについて、ある人が教えてくれた。

「それは統治した総督府のちがいによるものですよ。台湾は、外国をよく知っている海軍系が統治していましたが、韓国は、外国の事情に疎い陸軍系が統治をしていたからですよ」と。

それもひとつの理由であろう。海軍は温和な統治を敷いたが、陸軍は厳しく統治をしたのかも知れない。

台湾人と韓国人の対日感情のちがいは、このような日本の統治の仕方による差もあるのだろうが、それだけでなく国民性の相違もあると思う。

韓国人は、がめつく執拗で、執念深いという国民性があるようである。

戦後75年をすぎようとしているが、国家間ですでに解決ずみであるのに、いまだに、慰安婦や徴用工の問題を蒸し返してやまないのも、その国民性によるものであろう。

こちらは困った隣人である。

三権分立が機能しない国

１９６５年に締結された日韓基本条約では、日韓請求権・経済協力協定で、両国および国民の間の請求権などは「完全かつ最終的に解決されたこととなる」と確認されている。

この条約で、戦争中の慰安婦問題、朝鮮人を徴用工として軍需工場で働かせた問題について、その損害賠償請求権は韓国政府が処理すべきもの、として不可逆的に確認されていて、日本としては、国家間の条約ですでに解決ずみのことである。

ところが韓国最高裁は、その取り決めは国家間のものであって、個人としての日本への請求権には及ばない、という判決を下したのである。そのため、韓国側が問題を再燃させようとしているのである。

慰安婦問題では、１９９３年に元慰安婦からの聞き取り調査の結果、日本政府は謝罪の意を表明、１９９５年には日本が10億円を拠出して処理財団を設立して、ほぼ解決したはずだった。ところがこれに対して、元慰安婦を支援する団体が、これは日本国家が法的責任を認めたものではない、として反対運動をおこなっている。

徴用工問題は、韓国としては国民世論があるから妥協するわけにはゆかず、日本は国際法違反である、という態度で貫いているので、そう簡単にはかたづくまい。

ところで、韓国も日本と同じように、立法、行政、司法の三権分立制度を取っている。しかし、日本と韓国とでは、政府間の外交案件に対する司法の扱い方が異なるようである。

日本の場合、こと政府間の外交案件については、裁判所は司法にはなじまない、として訴えを却下している。米軍の駐留問題しかり、米軍ジェット戦闘機の騒音防止のための飛行停止問題しかりである。

しかし、韓国では裁判所が、その種の問題をまともに取り上げ、違法の判決を下すのである。それに対して政府も、それを是としているのである。

そうなれば、三権分立といっても、司法の判断が圧倒的に強くなり、行政を支配できることになる。それでは、三権分立が機能しなくなるのではないか。

中国の良心は香港だけにある

香港で19年6月9日、「逃亡者条例」に反対する100万人規模（主催者発表）の大デモが起こった。

この条例の真の狙いは、中国本土の基本的人権、民主主義を守ろうとする反政府運動をつぶすために、その運動家を香港で逮捕し、中国へ移送するというものである。

それに反対するデモに対して、中国共産党の意を受けた香港政府は、大量の警察官を動員し、催涙弾でこれを鎮圧しようとしたが、なかなか成功しない。

香港が1997年に、イギリスから中国へ返還される際に条約が締結されている。それは、返還後50年間は1国2制度で、香港は特別行政区として、行政管理権、立法権、司法権を含む高度な自治権を有するとした。さらに、香港の資本主義体制と生産方式を変えず、社会主義政策は実行しない、中国はこれに介入しない、との内容であった。

だが、中国は徐々にこの約束を反故にし始め、中国共産党の政策を押し込もうとしている。これに対して14年8月には、中国全人代の香港行政長官選挙に対する露骨な介入に反対して、学生を中心に大規模な雨傘デモが起こっている。

民主主義が浸透している香港は、基本的人権、自由と民主主義を守るための、中国唯一の良心としての役割を果たしていると思う。

19年6月4日の天安門事件30周年に際しても、追悼行事をやったのは香港の民主主義派の人たちで、中国本土では、この事件そのものをなきものにすることだけに専念し、事件に対するいっさいの報道を遮断したのである。

日本のマスコミの論調は、香港の民主主義の維持を、各国が中国政府に要請することを求める、というものだが、これを中国政府が受け入れることは絶対にあるまい。

こうして、香港の民主主義勢力は、徐々に制圧されつつあるのは目に見えている。

香港のこの現状を注視しているのが、台湾であろう。台湾は、香港の経緯をよく観察しているし、香港とちがって中国帰属の約束はないのだから、あくまで「現状維持」政策を貫くべきである。

日本、アメリカ、韓国は、台湾のこの政策を全面的に支持すべきである。

自治権はイコール住民の意思だ

国内に、宗教や生活習慣のちがいで、同化させることが困難な異教徒、あるいは異民族が多数の地域があり、異教徒、異民族の比率が高いことから、一般的な自治行政権限つまり自治権を付与し、自主的にそれを行使させるようにしているのが自治政府である。

その自治政府の範囲は、一地方であったり、大きな場合は国に匹敵する大きさの単位になることもある。

このような自治権の付与は、その住民からの要請によって、決められるものであり、いったん与えられた自治権は、その住民の同意なしに、これを取り上げることは許されないと思う。

インドの北西部でパキスタンに近いカシミール地方で、70年以上続いていた自治権が、19年8月にインドによって剥奪された。これはあきらかに不当である。

カシミール地方は、インド、パキスタン、中国が領土を接し、その領有権問題が複雑に絡んでいる地域である。

ヒンドゥー教徒が中心のインドにあって、イスラム教徒の比率が高い地域である。そして、インドのイスラム教徒多数地域が、カシミールに隣接してパキスタンとして建国されている、という背景がある。パキスタンとしては、カシミールは自国領だとしており、インドに所属することを容認できない。それらの事情があって、インドから自治権が与えられていたものと思われる。

住民の意思も聞かずに強行された、インド政府の今回の自治権剥奪は、カシミールの不安定性を増すものであり、あきらかに誤りといわざるを得ない。

隣国との関係はとかく摩擦が多い

日韓、日中の関係はとかくギクシャクすることが多い。

朝鮮を日本の植民地にしていたこと、中国には不当な侵攻をしたことから、両国民が日本に好感を持てないでいることも、一因であろう。個人の場合には、お隣が嫌なら引っ越すこともできるが、国はそれができないから厄介なのだ。

　このように、隣どうしの仲がよくないのは、個人でも国どうしでも同じである。

　ノルウェー、スウェーデン、フィンランドの北ヨーロッパ3国は、民主主義と社会福祉の優等生として知られているが、実はこの3国もなにかとギクシャクしているのだ。

　この3国を訪ねたことがあるが、お互いに、貨幣の呼称や国旗の色彩について、けちをつけ合っていた。なるほどそういうものか、と感じたことがある。

　このように、隣どうしのギクシャクが絶えないのは、隣り合わせでいると、国家間では、国境線問題、領有権問題、不法入国問題などでの衝突が多くなるし、個人の場合は、土地の境界問題、樹木の枝の侵入、境界の果樹の実の所有権、テレビや楽器の音、ごみの捨て方、私有地の近道利用などなど、トラブルのタネにこと欠かないからである。

　これを防ぐには、ふだんから仲よくして、お互いに大目に見たり、ことを荒立てないような配慮をし合う仲に、なっておくしかあるまい。

第六章
宗教は人間の理想への指針である

神や仏は象徴で肝心は教義と実践

筆者は、神の存在などは認めない、と何回も述べているが、ここでは神仏信仰を中心とする、宗教での神や仏の意味について考えてみよう。

イスラム教、キリスト教の神は同じだが、仏教では、神ではなく仏である。

仏は、サンスクリットではBuddhaと言い、漢字では仏陀と書く。これは仏と呼ばれるが「目覚めた人」「悟りに達した人」を意味する。釈尊（釈迦牟尼）がそうである。

宗教は、神仏を中心とした教えであるが、その社会的機能は、教義が説く人間としての行動の在り方であると思う。

これを三大宗教について見てみよう。

キリスト教・無償の愛による社会的な絆を

キリスト教では、その信徒に対する基本は「愛」である。神に対する愛と隣人愛の両方が一体になることが大切だ、と説いている。前者は人によってちがってもよいが、後者の隣人愛は重要である。

隣人愛については、エロス（男女の愛）、フィリア（友情）、ストルゲー（親子の愛）、アガペー（無償の愛）の4つがある。

恋人だから、友人だから、親子だから、という「…のための」愛は必要だが、この愛よりも、条件つきでない無償の愛こそ大切であり、それが隣人愛であると説く。「汝の敵も愛せ」という。しかし、殺し合いになるような敵は別であると思う。互いに敵意を持っているような相手でも、話し合いによって解決しなさい、という意味であろう。

このアガペーの考え方は、個人のみならず、国家間でも平和を維持するために、大切な考え方であると思う。

イスラム教・個人と社会全体を律する規律を

預言者ムハンマドが、神から受けた啓示をとりまとめたもの、といわれるイスラム教の経典「コーラン」と、ムハンマドの言行や事績をまとめた「ハディース」に、その基本は明らかである。

イスラム教徒にとっては、この世は仮のもので、来世が主とされる。来世を天国ですごせるようにするために、現世でやっておかなければならないことが、説かれているのが、イスラム教である。

それは個人のみならず、社会全体にわたる規律である。

その信仰行為としては、「六信五行」が重要であるとされる。六信とは、唯一神（アッラー）、天使、啓典、預言者、来世、天命であり、五行とは、信仰告白（アッラーが唯一の神なり）、サウム（斎戒および断食）、礼拝、喜捨（寄付で社会に貢献する）、巡礼（可能であればメッカへ）の五つである。

そのほか、豚を食べるな、飲酒は禁止、女性は髪や体型を隠すようにする、など細かい規律がある。

仏教・人間の現実的な苦悩から悟りを

仏教の目指すものは「大慈悲」であるという。

「慈」は、生ける者に幸福を与える「与楽」であり、「悲」は、人間の苦しみや不幸を抜き去る「抜苦」である、とされる。これを「抜苦与楽」という。

つまり、人間の苦しみや悩みの根本をばっさりと切り落とし、安楽を与えることを目的としているのが、仏教だというのである。

仏教のこの目的に、異存はないが、世のなかの苦しみ、悩みは、そのほとんどが外部から来るものである。

人間には、四苦と八苦がある。四苦は、生、老、病、死であり、それに「愛別離苦」（別れなければならない苦しみ）、「怨憎会苦」（怨み憎しみを持つ人と会う苦しみ）、「求不得苦」（カネや地位など求めるものが得られない苦しみ）、「五陰盛苦」（心身に執着したり心身をうまくコントロールできない苦しみ）を加えたものが八苦であるとされる。

これらの苦しみは、人間にとって正直な現実であろう。

仏教は、このような苦しみに満ちた世のなか、「一切皆苦」「諸行無常」「諸法無我」のすべてが繋がっているなかで、変化していること認識し、静穏な悟りを開く境地「涅槃寂静」に達することを、説いているのである。

人生は思い通りにはならず、すべて移り変わってゆくものであるから、これをわきまえて一喜一憂せずに、心安らかな心情になれるようにすべきだ、と説くのである。それはだれの助けも期待できない。自分自身でやるしかないのである。そこで求められているのは、厳しい現実認識と真理の追究なのである。

それを示す仏教の言葉は「四諦」（4つの真理）といい、根本的な真理を次の4種に分けている。それは、「苦諦」（現実は思い通りにならない苦である）、「集諦」（苦の原因は自己の迷妄と執着にある）、「滅諦」（迷妄と執着を断ち切り悟りが開ける）、「道諦」（悟りに到るための修行の方法）である。

これは、釈尊が最初に説いた仏教の根本教説であるともいわれている。

神仏で教えを権威づけた

このように、キリスト教では無償の愛、隣人愛によって社会的な絆を形成することを重視し、イスラム教は、個人と社会全体を律する規律を説き、仏教は人間の現実的な苦悩の原因を断って悟りに到ることを勧めていることがわかるのである。

これらは、いずれも個人あるいは社会人としての大切な考え方、知恵である。

それぞれの宗教は、それが生まれた地域社会の特性を反映している形になっている、と思われるが、それはそれでよいと思う。

キリスト教とイスラム教では、神を中心とし、神のウェイトがきわめて高いが、そのような形を取っているのは、宗教が庶民に求める教えを権威づけるために、神の威光を借りて、ありがたみをつけることが必要であったことが大きいのであろう。

仏教は、本来は仏を表に立てる教えではなかったが、世尊（釈迦牟尼）を中心に、いつの間にか、他力本願の阿弥陀仏像が増えてきたのも、同じような位置づけの狙いがあったものと思われる。

いずれにせよ、人間にとって大切なことは、神や仏は、たんなる象徴であって主体ではなく、主体は、あくまで宗教の説く教えと、その実践であると考えるべきである。

神仏の3つの効用

「苦しいときの神頼み」という言葉がある。

人には、自分自身や周囲の人の助けだけでは、どうにもならない苦境に立たされたときに、苦し紛れに「神さまがいて、助けてくれるとよいのだが」と、思うときがある。しかし、そんな望みがかなったという話は、聞いたことがない。そんなときの神は、期待ではなく、たんなるあがきのはけ口にすぎないからである。

一方で、思いがけない幸運に恵まれて、「神さまに助けられた」という話を聞くことがある。それは、たまたま好ましい偶然が重なった、というだけのことなのだ。

神も仏も、存在しないのである。

「神は居なくても要るものである」という言葉がある。「居る」と「要る」の同じ発音にかけた言葉だが、神について、的確に言い表している言葉だと思う。

神仏の効用は、３つあると考える。

第一は、前記のように、困ったときの期待しないあがきのはけ口になることである。

第二は、「気休めの効果」である。正月の初詣でや、七五三の神社お参りをしておくことで、気休めになるという効果である。

第三は、神仏という概念が存在することで、寺院や神社、教会、モスクができるし、僧侶や神主、司教、牧師が食べてゆけるという一種の経済効果である。

この効用は、神仏を信じる庶民の心の安定に寄与していることは、認めねばなるまい。たとえ、それが架空のものであろうとも、そのことは神の効用には影響しないのである。

神仏をどう位置づけるか

神や仏の存在を信じるか否か、ということになると、問題はややこしくなる。しかし、人間を超越し、人間に指針を与えるようなものを空想して、それを神あるいは仏とする、と考えたら、それはあってもよい、ということになるのではなかろうか。

この場合、神仏が人間に与える指針をどう考えるかである。

それは、人間の理想の姿を指針と考えればよい。

人間が本当に幸せになれる条件というものはあるのだろうが、現実には、それは実現できないのがふつうである。

その条件には、社会環境的な外的条件がある。そして、個々人自体および個々人が属する家族とか、会社、町というような社会単位と個々人との関係の問題の2面がある。これは内的条件である。

現実的には、不十分であるこの外的、内的な理想条件を描いて、これを神仏の指針とするのである。

この考え方は、宗旨の如何を問わず、共通であるはずである。

内的条件のひとつとしては、個人の健康、収入、家族の和、助け合いなどの条件があろう。外的条件としては、平和、紛争がないこと、災害がないことなどの条件があろう。

これらが個人の幸せを左右する条件である。この理想条件を神仏の指針と見做すのである。それは指針であるから、その実現度如何は、神仏が左右するものではない。

だから、「苦しいときの神頼み」とか、「神も仏もない」などのあがきや不満もなくなるのである。

あとがき

この「カジュアル哲学」シリーズは、その構成をはじめに決めるものでもなく、また、この1冊をどういう考えでまとめよう、ということもなく書いている。

テーマをランダムに見つけては、思いのまま、筆の赴くまま書き進めているから、その編集にあたっては、井上良一さんは大変苦労されていると思う。が、いつも大変うまくまとめておられると感心している。その意味でも、編集名人である井上さんには深い敬意を表したいと思う。

このシリーズをいつまで続けるか、人は切りのよい数字でまとめることを好むようだ。このシリーズの10巻ができたとき、知人からこれで終わりですか、と聞かれたことがある。

だが、続けてしまった。だから、来年の切りのよい15巻で終わりにするかどうかは、わからない。寿命がきたらそれまでであるが。

だが、とくに趣味も持たず、賭けごとやスポーツにも興味がない筆者には、テーマを探して、それについての真理を模索したうえ、その考えをまとめて書くことが唯一の楽しみである。したがって、巻数の切りのよさで本作りをやめることはないであろう。

出版部数は、各巻わずか３００部で、全部を定価で買い取るくらいのカネはかかるが、そのカネを使うのも道楽のうち、と考えれば、それでよいと思っている。

２０２０年2月10日

村上　新八

【村上新八「カジュアル哲学」シリーズ】 総目次（定価は税込）

カジュアル哲学で世界を斬れ—考えるヒント—

リフレ出版
２００６年発行
定価１６５０円

世界と人間をよみ解くI
—カジュアル哲学の勧め—

新生出版
2008年発行
定価1650円

権力と力を持たぬ正義
進化する模倣、しない模倣
テロに大義を与える誘発行為
ディプロマティク・センス
真実はロマンチックではない
ペンは剣よりも強いか
米式ビジネスモデルの功罪

第二章　人間の深奥

人生は偶然の綾織だ
「人は何のために生きるのか」
という問いは愚問だ
何が人の顔を造るのか
人間はどこまで自由なのか
人間の能力学
尊厳死の尊厳とは「人間らしさ」ということ
人間社会の「けもの道」
人はなぜ騙されるのか
「ひらめき」を呼ぶ「植物神経」
鉛筆は魔法の杖
自殺は衝動買いみたいなもの
人が人を愛するとは何か
ジェンダー論は誤りだ
メリー・ウィドウと男やもめの違い
笑いと可笑しみの4要素
年賀状は虚礼にあらず
カネの弁証法

第三章　社会の解剖

小魚群シンドローム
たて社会の生成原理
横並び社会の功罪
組織への不信はなぜ起こるか
見方によって変わる平等認識
新聞の公正を妨げるもの
新聞報道を嗅ぎ分ける臭覚
公共放送は純文学的存在だ
病気は診るが人は診ない医師
活字離れは痴呆化の始まり
学校におけるいじめの本質は何か
格差社会がなぜ問題なのか

第四章　政治の哲学的解明

愛せる国の条件
国益というものの怪しさ
日本政府に国家哲学はあるのか
政教分離はなぜ必要なのか
自虐史観は不毛だ
戦争放棄は所詮幻想だ
歴史の審判に待つとは

第五章　天皇制について

天皇崇拝のなぞを解く
天皇家が長続きする六つの理由
天皇制は非人間的な制度だ

世界と人間をよみ解くⅡ
—カジュアル哲学の勧め—

新生出版
２００８年発行
定価１６５０円

第一章　世界を見据えて

哲学がなくても人生は送れる
裏目に出た米世界戦略
人類を脅かす3プラス2
「核の傘」への疑問

「カジュアル哲学」シリーズ総目次

小泉構造改革とは何だったのか
私益を奪う怪しい公益
歪んでいる三権分立
理屈と理由はいくらでもつく
規制は諸刃の剣だ

世界と人間をよみ解くⅣ
—カジュアル哲学の勧め—

牧歌舎
２０１０年発行
定価１６５０円

第一章　世界を見据えて
世界史は覇権興亡の連続だ
グローバル化は史的必然現象だ
人権には国境はないはずだが
複数民族国家における統一問題
ひと味違う逆説真理
第二章　人間の深奥
これが人間の本性？
日本人の国民性とその構造
信頼関係とは何だ
人間関係は人間の属性だ
インセンティブとモチベーティブの違い
希望学という学問
懐疑主義と反骨精神
第三章　社会の解剖
「無用の用」の効用
全体思考と部分思考
僧の修行は何のため
経営コンサルティングの哲学
第四章　政治の哲学的解明
「あめと鞭」の本質
「ぶれ」とは何だ
司法のアキレス腱
ボトムアップとトップダウン

世界と人間をよみ解くⅤ
—カジュアル哲学の勧め—

牧歌舎
２０１１年発行
定価１６５０円

第一章　世界を見据えて
アルカイダテロは収束するか
歪められる正義
むずかしい「無いこと」の証明
第二章　人間の深奥
教育では教えられないもの
自立と自律は違う
「絆」「互助」「依存」の関係
老いの才覚
サンデル教授の人気講座の秘密
第三章　社会の解剖
汚染されたオリンピック
ＰＬＡＮ—ＤＯ—ＳＥＥはお題目
タブーとジンクス
第四章　政治の哲学的解明
「国民目線」とは何？
「不適切」という曖昧語
ポピュリズム化する政治
真の大国としての条件

世界と人間をよみ解くⅥ
—カジュアル哲学の勧め—

牧歌舎
2012年発行
定価1650円

第一章　世界を見据えて
社会正義を阻むもの
これからの哲学は「自然との共生」？
ウィキリークスの功罪
中間層の重要性
アメリカが過剰にイスラエル寄りな理由

第二章　人間の深奥
ホロン思想と人間学
プライドの心理特性
自然体と平常心
生真面目と几帳面

第三章　社会の解剖
おカネの哲学的思考
幸福の指標化はできるか
想定内と想定外

第四章　政治の哲学的解明
ソーシャルメディアが政治を変えるか？
政治力とは
古今未曾有、未来不世出の快男児
知る権利と知らせる責務

世界と人間をよみ解くⅦ
—カジュアル哲学の勧め—

牧歌舎
2013年発行
定価1650円

第一章　世界を見据えて
公共の哲学とは
適者生存の哲理
価値判断とその基準

第二章　人間の深奥
人間はいかに形成されるか
命は誰のものか
人間の認識能力
夫婦喧嘩の真理
自己顕示と「華」
妻と母と人間像の違い
「友」と簡単に言うが

第三章　社会の解剖
情報に振りまわされる
男女共同参画社会とは
「責任」の哲学
逆説の解釈

第四章　政治の哲学的解明
政党の政策の本質
民意の解明
「大義名分」の危うさ

世界と人間をよみ解くⅧ
—カジュアル哲学の勧め—

牧歌舎
2014年発行
定価1650円

第一章　世界を見据えて

平和主義の意義
変貌する兵器で戦争は不能になる
グローバリズムの功罪

第二章　人間の深奥

人間は退化する？
『7日間で突然頭がよくなる本』コメント
私のカジュアル哲学思考のアプローチ
つまらない人生
運命の遺伝子

第三章　社会の解剖

選択の科学
多文化主義は成功しない
責任の種類とその軽重
アメリカ追随は成功か失敗か

第四章　政治の哲学的解明

憲法の在り方
価値多様化の意味
民主主義と秘密保護
合成の誤謬

世界と人間をよみ解くⅨ
—カジュアル哲学の勧め—

牧歌舎
２０１５年発行
定価１６５０円

第一章　世界を見据えて

民主主義は最高の政治形態というが
陳腐な悪と無思慮への警告
覇権を狙う中国
宗教と道徳
妖怪「イスラム国」
人間の賢さと愚かさ

第二章　人間の深奥

知性と教養どっちが大事か
臨死体験の謎
孤高の居心地

第三章　社会の解剖

社会的共通資本の理論は死なず
レジリエンスの方法
懐疑の効用

第四章　政治の哲学的解明

国益で騙される
「実践」の考察
「反知性主義」という思考

世界と人間をよみ解くX
—カジュアル哲学の勧め—

牧歌舎
２０１６年発行
定価１６５０円

第一章　世界を見据えて

『21世紀の資本』の現実
「例外主義」なるものへの疑問
尊大な米軍の地位協定
ＩＳテロは止められるか

第二章　人間の深奥

人間をやめたくなるとき
人類の宿命は自己免疫疾患？
故郷慕情の人間回帰

第三章　社会の解剖

下流老人の深層

「カジュアル哲学」シリーズ総目次

森羅万象のカジュアル哲学

牧歌舎
２０１９年発行
定価１６５０円

【著者プロフィール】
村上　新八（むらかみ　しんぱち）

・1930年東京生まれ。一橋大学出身。
・1990年まで日本能率協会に勤務、経営コンサルタントとして、三井鉱山、日立工機、三菱重工業、三菱自動車工業、トピー工業、神戸製鋼所、日清製粉などのコンサルティングを行う。
・1990年よりコンサルティング業務を自営。
・著書

『世界写真地理全集』	共著	河出書房新社	1954
『個別受注生産の管理会計』	共著	白桃書房	1961
『鉱山における資材管理』	共著	技術書院	1964
『管理間接部門における業績評価』		日本能率協会	1970
『現場管理指標の見方』		日本能率協会	1971
『新ＭＩＣ計画』	共著	日本能率協会	1971
『ＩＥと現代経営』	共著	日本能率協会	1974
『欧米経営の事例研究的考察』		日本能率協会	1979
『技術者のための原価計算』		日本能率協会	1983
『ホロニック・マネジメント』		日本能率協会	1984
『マネジメントの基礎理念』		日本能率協会	1985
『管理者の能力と組織的改善』		日本能率協会	1985
『原価管理と工場の業績評価』		日本能率協会	1985
『ホロニック経営入門』		日本能率協会	1985
『10年後のビジネスマン』	共著	学研	1985
『コストマネジメント』		学研	1987
（公認会計士協会より第一回山中ＭＡＳ賞受賞）			
『経営問題百科』	共著	ぎょうせい	1988
『経営機能デザインの実践技術』		日本能率協会	1992
『カジュアル哲学で世界を斬れ』		リフレ出版	2006
『世界と人間をよみ解く　Ⅰ』		新生出版	2008
『世界と人間をよみ解く　Ⅱ』		新生出版	2008
『世界と人間をよみ解く　Ⅲ』		本の泉社	2009
『世界と人間をよみ解く　Ⅳ』		牧歌舎	2010
『世界と人間をよみ解く　Ⅴ』		牧歌舎	2011
『世界と人間をよみ解く　Ⅵ』		牧歌舎	2012
『世界と人間をよみ解く　Ⅶ』		牧歌舎	2013
『世界と人間をよみ解く　Ⅷ』		牧歌舎	2014
『世界と人間をよみ解く　Ⅸ』		牧歌舎	2015
『世界と人間をよみ解く　Ⅹ』		牧歌舎	2016
『生活のなかのカジュアル哲学』		牧歌舎	2018
『森羅万象のカジュアル哲学』		牧歌舎	2019

そのほか1993年9月より朝日新聞「声」欄に32回投稿掲載

縦横無尽のカジュアル哲学

2020 年 7 月 15 日　初版第 1 刷発行

著　者　村上新八
発行所　株式会社 牧歌舎 東京本部
〒 101-0064 東京都千代田区神田猿楽町 2-5-8 サブビル 2F
TEL 03-6423-2271　FAX 03-6423-2272
http://bokkasha.com　代表 : 竹林哲己
発売元　株式会社 星雲社（共同出版社・流通責任出版社）
〒 112-0005 東京都文京区水道 1-3-30
TEL 03-3868-3275　FAX 03-3868-6588
印刷・製本　株式会社　ダイビ

ISBN978-4-434-27650-7　C0095